スワヒリ世界をつくった「海の市民たち」

根本利通◉著
Nemoto Toshimichi

昭和堂

バガモヨ　演奏者の休息（2016 年 8 月 21 日）

ダルエスサラーム　カリアコー市場の賑わい（2015 年 10 月 13 日）

ザンジバル　ダウ船の港（2009 年 9 月 26 日）

ザンジバル　根本とよき相棒ムゼー（2015年5月15日）

キルワ・キビンジ（2014年11月23日）

JATA ツアーズ・スタッフ（2012 年 3 月）

バガモヨ　楽団チビテのパフォーマンス（2010 年 1 月 27 日）

ダルエスサラーム（2013 年 9 月）

オマーン（2013 年 12 月 4 日）

マフィア島（2009 年 7 月 6 日）

ルアハ国立公園に家族で（2013 年 3 月 7 日）

ザンジバル　ストーンタウン（2010 年 11 月）

インド洋世界
出典：国土地理院「地球地図（標高）」をもとに地名・国境線・方位・スケールを追加して作成

刊行にむけて

根本利通さんはタンザニアのダルエスサラームで暮らして、タンザニアの一市民として、また一人の日本人として変わりゆくアフリカの姿を長年にわたってみつめてきた。その記録の一部は、二〇一一年に発刊された『タンザニアに生きる――内側から照らす国家と民衆の記録』（昭和堂）に収められている。それは、タンザニア社会にみられる多様な側面をユーモラスな筆致で描きながら、スワヒリ世界に身を置くからこそ知りえた社会の個性をわたしたちに伝えてくれている。ただ、タンザニアだけをみていたのではこの社会の本質は理解できないことも根本さんはよくわかっていた。スワヒリ世界の形成にはじつに多くの民族が関わってきた。もともとアフリカのバントゥーが暮らしていた東アフリカのインド洋沿岸では、長い歴史のなかでペルシア、アラブ、インド、西欧諸国が利権争いや協調を繰り返してきたことで多様な文化が混ざり合い、スワヒリというコスモポリタンな世界観が創り出されていったのである。それはダウ船という帆船によって世界の大動脈シルクロードともゆるやかにつながっていたのだが、世界はそのことをあまり意識してこなかった。

高校の世界史の教科書のなかで「アフリカ史」が抜け落ちていることを根本青年は気にしていたが、かれがその空白を繕い始めるにはもうしばらく待たなければならない。京都大学文学部史学科に入学した根本さんは、南アフリカのアパルトヘイトに強い憤りを覚えつつ、その解放運動を支援していたニエレレ大統領が率いるタンザニアへの関心を高めていた。一九七五年に友人を誘って東アフリカ六ヵ国を歩き回り、その旅の最後に卒業論文のテーマにするつもりで、かつての都市国家キルワの地を訪れた。キルワの遺跡は長らく放置され廃墟のようになっていたが、そのときの様子を根本さんは「崩れかけた塔楼の上から眺めた緑のマングローブと青いインド洋の鮮やかな色に、往時（一三〜一五世紀）の繁栄の姿を思い浮かべようと、歴史への思いを深くした」とブログ『ダルエスサラーム便り』のなかで述懐している。この旅によってかれの人生の船首が大きくアフリカへ向いたのは言うまでもない。帰国してからは、宮本正興さんが主宰していた「衣笠ロンド」という勉強会に参加してスワヒリ語辞書の編纂を手伝いながら和崎洋一さんや日野舜也さんの内陸スワヒリ社会の研究にも関心をひろげていった。一九七八年に大学を卒業し、千葉県立市川東高等学校に就職して六年間教鞭を執ったが、一念発起して一九八四年に職を辞めてダルエスサラーム大学の大学院に進学した。それが二〇一七年までの三三年間にもおよぶタンザニア生活の始まりだった。

一九八〇年代前半は、タンザニアの現代史のなかでもっとも経済的に困窮した時期だったといってよいだろう。ウジャマー村政策の不振、ウガンダ戦争への負担、第二次オイルショック、相次ぐ干ばつなどによってタンザニアの経済は疲弊していた。「何もない」という状況は日本からの留学生にはとてつもなく厳しかったことだろうが、タンザニア人はこの哀れな日本人にも温かく手をさしのべてくれた。当時のダルエスサラーム大学は、大学で働く人たちのために夜間中学校を開いていて、そこに通っていたグビさんとアレックスさんという二人の青年が根本さんの面倒をいろいろみてくれた。親交は深まり、いつしかかれらの故郷（グビさんはモロゴロ州のキンゴルウィラ村出身、アレックスさんはキリマンジャロ州のルカニ村出身）を訪ねるようにもなっていた。のちに根本さんはそのときの経験を次のように振り返っている。「タンザニアの何を伝えたい（何がいいのかを日本人に説明する）かを考えると、このルカニ村やキンゴルウィラ村に流れるゆったりとした時間とワゼー（お年寄り）たちの談笑と子供たちの瞳の輝きなんだろうということになる。自分にないものを求めていたのかもしれない。」（『ダルエスサラーム便り』）

根本さんは一九八六年に大学院を辞め、ダルエスサラームの日本人会が運営していた日本語補習校の講師を務めながら、日本人とタンザニア人の相互交流を目指した旅「オルタナティブツアー（AT）」に着手した。そして、長男が補習校に入るのを契機に講師を辞め、一九九九年にグビさん、アレックスさんとともに旅行会社JATAツアーズを設立する。根本さんは「JATAツアーズは、ATタンザニアをやるために作った会社で、『商売』を続けながら、自分たちを考えていく運動の一環の上にある」と見栄を切っていたように、JATAツアーズもATタンザニアも大きな志をもって船出した。

仕事に追われながらも、根本さんは東アフリカの歴史書を渉猟していた。JATAツアーズの経営が軌道に乗るとご夫婦で歴史探訪の旅に出掛けることも増え、晩年は私もときどきご一緒させてもらった。旅に出ると、根本さんは歴史家になった。かれの視点はいつしか陸を離れ、洋上からスワヒリの世界を瞑想するダウ船の船長のようであった。「インド洋は隔てるものではなく、人や物や文化を結びつける『道』であって、港は陸と海をつなぐ接点なのだ」というフレーズはよく聞かされた。インド洋岸に点在する港をめぐっていろんな民族が長きにわたって勢力争いを繰り返した。そして、一九世紀中頃にザンジバルのスルタンがタンザニア本土の小さな港に離宮を建て、そこを「ダルエスサラーム（平和の家）」と名付けた。「平和の家」が建つ港にはさまざまな民族が住みつき、やがてそこは政治や経済の中心地となっていった。

一九六〇年前後、アフリカ諸国は次つぎと独立を果たして政治的な自由を勝ち取ったが、国家自立への道は険しく、各国では政治への不信から内紛やクーデターが相次いだ。しかしタンザニアでは、独立以来、内紛やクーデターは一度も起こっていない。地域に根ざしたアフリカ社会主義を掲げ、初等教育を徹底しながらスワヒリ語を普及して一つの国家を目指したニエレレの功績は大きい。国の発展は経済的な豊かさだけではなく、ニエレレの理想は「平和」というかたちで実現されている。しかし根本さんは、「それを個人の資質だとか、個人崇拝、偉人伝説にもっていってはいけない。独立運動を支えた、ムワンザの綿花生産協同組合とか、ダルエスサラームのムスリム知識人が、ニエレレをエースとしてリーダーに押し立てて、よりよき国家建設を目指したのだ。その時代の民衆の輿望を担った知識人の良心がニエレレを支えたのだ」（『ダルエスサラーム便り』）と熱く語る。

アラビア語で「海岸（スワヒール）」と呼ばれていた地域は、交易をとおしてさまざまな民族や宗教を受け入れ、やがてスワヒリという独自の文化を生みだしていった。異文化や異教徒の共存を前提とする社会では、誰が優位であってもバランスが乱れてしまう。不条理な優劣をつけないように他者の立場や思想を尊重する平等性がスワヒリの世界ではとくに重んじられた。スワヒリ世界で醸成された「争いを避けよう」とする文化は、商人や宗教家などによって大陸内部にも伝えられ、国民に共通の志向としてニエレレを突き動かしたにちがいない。「タンザニアが誇るべき最大の財産はAmani（平和）なのだ」と根本さんは言っていたが、今の時代においてそれにまさるものはないだろう。

根本さんは生前、旅行会社を引退したら東アフリカの海洋史をまとめたい、と言っていた。そこにはスワヒリの心が描かれることになっていたであろうが、二〇一七年二月二四日に急逝され、その書が世に出ることはなくなってしまった。しかし、根本さんが書きとめてくれた数多くの文書は、タンザニアの日常とともに、インド洋西域の歴史を学ぶことによってスワヒリ世界の真髄に近づけることを教えてくれた。多様な文化や民族を取り入れていく柔軟な「スワヒリ文化」の奥義を、この選集から読み取っていただけたらと願っている。

伊谷樹一（京都大学大学院アジア・アフリカ地域研究研究科）

スワヒリ世界をつくった「海の市民たち」目次

第三章　スワヒリ海岸

第四章　ザンジバル諸島とマフィア島

第一章　インド洋を結んで

第1話　オマーンと東アフリカ

一九八五年一一月一九日

マスカット・オマーンというと、心地よいエキゾチックな響きを覚える人もいるかもしれない。千夜一夜物語に出てくる船乗りシンドバッドはこの国の人で、ソハールという港からいく度となく航海に出たという。一九七〇年までは、英・米・インドとしか国交がなくいわば鎖国状態で、中世のアラブ風都市の雰囲気が色濃く残っている国。観光ビザというものがなく世界で最も入国の厳しい国の一つとのことだった。私のときもビザを申請して半年以上も紆余曲折があった後、やっとNOC（Non Objection Certificate）という入国許可を取り付けて、オマーンに向かうことができた。

マスカット・オマーンというのは旧称で、現在の国名はオマーン・スルタン国、マスカットはその首都である。といっても旧来のマスカット地区は首都圏の一部を成すにすぎず、首都圏には約六〇キロメートルに延びる幹線道路（16頁地図）に沿って約二五万人が住んでいるという（因みに全人口は一五〇万人：一九八四年推定［二〇一八年には四六五万人となった（外務省HPより）］）。その首都圏内にあるシーブ国際空港（現マスカット国際空港）に降り立つと、むっとするような暑さはともかく、素晴らしく舗装された片道三車線の道路ときらびやかなイルミネーションに、ＬＤＣ（最貧開発途上国）の一つであるタンザニアから来た身としてはまず驚かされた。商都ダルエスサラームの主要道路ですら穴ぼこだらけで、街灯も少ないタンザニアと比べると壮大な浪費に思えたものだ。壮大な浪費という表現は、日本のことを考えると不適当かもしれないが、実は、このきらびやかなイルミネーションは一一月に開かれるアラビア湾岸六ヵ国サミットとスルタン・カブースの即位一五周年記念の祝いのためで、道路などもこの二、三年で急速に整えられたものだという。五〇〇〇万個の電球のイルミネーションもそれほど高くつくわけではなく、安上がりで派手好みのいかにもアラブ的な祝い方だといわれたが、一〇〇キロメートル以上にも及ぶ道路のみならず、役所・工場・商店から民間人の家まで、何らかの装飾をするように強制してつくりだされたおびただしい電気の洪水は、アフリカの暗さからみるとやはり壮大な浪費のように思える。またそのサミット会場としてつくられたホテルの総工費が一五〇〇億円ときくとちょっと気狂いじみてくる。そしてさらにドバイ、アブダビ、クウェートなどの先進産油国に比べるとマスカットなど、まだまだ地味なものだといわれると途方にくれてしまう。

後述する理由でこのオマーンには、タンザニアからの移住者が多いのだが、貧困のなかにあえいでいた同じ人間が、国がかわったとたん、ふかふかの絨毯と立派な調度のおかれたエアコンのきいた部屋でビデオを楽しみ、深夜マイカーでファースト・フードを買いに行くといった生活を送っている。「もはや発展途上国ではない。ヨーロッパ化した。これが進歩だ」と胸をはるが、日本人と同じあるいはそれ以上の国民所得を誇りつつ（一人当たり年約六〇〇〇ドル）、片一方ではまだ大学も図書館も一つもない状況を見ると（大学は一九八六年に開校の予定）、「進歩・発展」とはいったい何なのだろうかと考えさせられてしまう。

九割近くの財政収入を石油に頼り、ほとんどは輸入品で物価は日本より高く、各部屋ごとのエアコンや一家に数台の車は贅沢品でなく必需品という生活。道路建設などの肉体労働から、商店経営あいは看護婦、医者、教師といった専門職まで、おおかたインド人、エジプト人、フィリピン人といった外国人労働力に頼っている現状を見ると、日本からすると徒花のように見えもし、またタンザニアからすると、石油が出るということは一つのてっとり早い解決法なのかと思ったりもする。ダルエスサラーム大学では、一、二年次に「開発論」が必修で、簡単にいえばマルクス主義的な、いわく「国際資本主義体制による歴史的、現在的な搾取構造」を第三世界の貧困の根本原因として、開発の新しい方法・可能性を必死に探しているが、そういう努力を一見空しくさせてしまうような繁栄ではある。

閑話休題。

さて、なぜオマーンとタンザニアなのかということに簡単にふれておきたい。東アフリカ海岸（いわゆるスワヒリ地方）は紀元前よりアラビア・ペルシア・インドといったインド洋のほかの地域との関係が深かった。インド洋西海域には、定期的に発生するモンスーンと海流に乗ってアラブ・ペルシア・インドの商人たちがダウ船と呼ばれる三角帆を張った木造船に乗って還っていくというパターンがあった。交易された商品は時代によって変遷があるが、東アフリカへ運ばれたものは、ガラス、鉄器、陶磁器、綿布、塩漬の魚などであった。こうした交易のなかで、東アフリカ海岸に商人たちの居留地が生まれ、アフリカ人との混血がおこり、とりわけイスラーム時代以降、イスラーム文化の流入が盛んになり、スワヒリ社会・文化が生まれ、現在タンザニア、ケニアの国語になっているスワヒリ語が形成されていった。「スワヒリ」という言葉自体、「海岸」を意味するアラビア語からきていることはよく知られているところである。

スワヒリ文化にはインド洋沿岸各地域のさまざまな文化要素が混入しているが、そのなかで大きな比重を占めるのはアラビア海岸と南アラビアの海岸のそれである。つまりオマーンはイエメンと並んで、スワヒリ海岸との交流に主体的役割を果たしてきた。とりわけ一七世紀後半からは、それまで一五〇〇年ほどインド洋交易を牛耳ってきたポルトガルを逐《お》って東アフリカに進出し、ザンジバルを中心に、マリンディ、モンバサ、キルワなどを押さえ、海上帝国を築き上げ、主に象牙、奴隷、さらにはチョウジ（クローブ）の輸出で巨大な利を博した。一九世紀前半のスルタン・サイードの時代には首都をマスカットからザンジバルに移すまでになり、サイードの死後、マスカットとザンジバルにその帝国は二分されたものの、オマーン人の商業的往来は続いた。一九世紀末にザンジバルはイギリスに保護領化されたが（マスカット・オマーンは名目的独立を維持）、一九六三年一二月にスルタンを中心とする立憲君主制として独立。しかしそのわずか一ヵ月後の一九六四年一月に革命が起こり、アラブ人政権がアフリカ人によって倒され、ザンジバルは大陸側のタンガニーカと合邦してタンザニア連合共和国を形成、多くのアラブ人が海外に亡命した。しかしオマーンは亡命ザンジバル人を一九七〇年まで受け入れなかった。その後の石油収入によるオマーンの富裕化に伴い、アラブ系タンザニア人（ザンジバル人）のオマーン移住志向が高まり、厳しい制限のなかでも、既に一万人以上のスワヒリ人（ケニアからの移住者を含む）がオマーンで暮らしているといわれる。現に私もマスカットでは、空港・ホテル・サッカー場・銀行など、いたるところでスワヒリ語と接することができた。彼らの多くはアラブ系といいながら、先祖の東アフリカ移住後一〇〇年以上たっている家族も多く、母語はスワヒリ語で、オマーン移住時にはアラビア語の読み書きが充分にできず、成人教育の学校に二、三年通って習得したという。また子供の教育も、言葉の関係で難題をかかえているようである。

オマーンからはたくさんの人びとが富を求めて海に出て行った。オマーン人自らが「船乗りの国」と呼ぶ。その活動範囲は東アフリカのみならず、紅海、ペルシア、インドからマラッカ、果ては中国にまで及んだ。彼らの操ったダウ船はインド洋独特のもので、船板を固定するのに鉄・木釘を使わず、ココヤシの繊維から作ったひもで縫い合わせていて、それは現在も基本的に変わっていない（もっとも現在のものはエンジンを装備してスピード化し、車を五〇台も積めるようなものも出現しているという）。家島彦一氏によればダウ船の航海期は三つに分けられるという。一つは一〇～三月の冬のモンスーン期である。そして、夏の南西モンスーン期は四～五月の前期と、八月下旬～九月の後期に分かれる。その間の五月下旬～八月中旬までの約三か月はモンスーンが強すぎて雷・嵐のため、海の閉鎖期となる。この時期にダウ船の修理や、あるいは真珠採取、沿岸漁業、ナツメヤシの果実採集がおこなわれ、船荷が準備される。西アジアの内陸キャラバンも、地中海の航海も、インド洋のダウ船交易と密接なスケジュールの連環をもっていたといわれる。つまり、毎年特定の方向に吹くモンスーンに乗ってインド洋を横断してきたダウ船が港に入ってはじめて港がにぎわい、交易活動がおこなわれ、内陸へ向けてのキャラバンが組織されたのであり、また出港日にあわせて、地中海諸地方や西アジア各地からキャラバンが港に集結したのである。このようにみてくると、港は海と陸との接点として機能し、陸と海の両文化は港を軸として連続する共通の世界である、ということができる。

マスカットの港を丘の上から見下ろすと、オマーン人がなぜ海へ出て行ったかわかる気がする。つまり、マスカットという町は海岸線まで緑の全くない岩山が切り立って迫った、その狭間に位置した港で、どうしても外に目を向けざるをえなかっただろうと思う。それは、ソハールとかスールといった、いわゆるマスカット地方にある港町も、岩山が迫っているかどうかの違いこそあれ、緑の乏しさという点では共通している。スールや、南のドファール地方にあるミルバート（16頁地図）という港町は、東アフリカ交易の拠点となった港で、その後背地からたくさんの人びとが出かけていった。また逆に東アフリカから連れてこられた、明らかにアフリカ黒人の血が混ざっていると思われる顔が散見される。彼らに会うと思わずスワヒリ語でしゃべりかけたくなるが、ターバンとガウンというアラブ風の正装をした彼らはもちろんアラビア語しかしゃべらず、逆に典型的なアラブの顔をした男たちがスワヒリ語をしゃべっているのを聞くと奇妙な感にとらわれる。黒いアラブ人たちが社会のなかでどういう位置を占めているのかというのは微妙な問題で聞くことはできなかったが、イスラームにおける家内奴隷の位置からして、少なくともアメリカにおける黒人のような差別は受けていないと想像される。

ダルエスサラーム大学のザンジバル出身のアラブ系学生の紹介で、その従兄（彼もザンジバルからの移住者)に案内され、彼の祖母の村へ入ってみた。そこは海岸部のマスカット地方とは違う、いわゆるオマーン地方で、内陸の三〇〇〇メートル級山脈の山麓の村である。オマーン地方はマスカットに拠るスルタンに対抗して、宗教上のリーダーであるイマームを中心に一九五〇年代半ばまで、いわゆる半独立・自治政権を維持していた。しかし、そういった内陸のオマーン地方からも多くの人が東アフリカへ出かけていったのである。オマーンの村はワディといって雨季になると川になる渓谷沿いの岩山の狭間にある。伝統的には、ファラジという灌漑用水によるナツメヤシの栽培と、ヒツジ、ヤギの遊牧が中心で貧しかっただろうと想像される。今でも、ニワトリ、ヤギ、ロバなどと家族が同じ家の中に同居していて、暑い時季には屋根の上で星を見上げながら風に吹かれて眠るという生活。そのなかにも近代化は少しずつ及んできて、各戸が発電機を備えていて夕方になると一斉に谷間の村に発電機の音が響きだす。一人だけ六〇代でスワヒリ語を話す人がいた。少年のころザンジバルに渡り、二〇~三〇年、商売をしながらアフリカ大陸を歩いたらしい。オマーンに移住してきたスワヒリ人のなかにも、ザンジバル以外に、タンザニアの大陸側あるいはブルンディやザイール(現在のコンゴ民主共和国)生まれという人がかなりいる。従兄につれられて村を歩くと、いたるところでアラブ風のもてなしで、果物(ブドウかスイカが多い)、ナツメヤシの果実(デーツ)、そしてアラブ風コーヒーというのに必ず出合う。私がアラビア語ができないとなると、片言のスワヒリ語で何とか通じさせようとする人が出てきたりする。別にその人が東アフリカへ行ったわけではないのだが、彼の親類、知人が行っているのだ。スワヒリ語自体がたくさんの語彙をアラビア語から借りているから、何とか話が通じたりする。オマーンの山の中から、インド洋の波はるかにスワヒリ語世界を思い浮かべることができるのだ。

最近のアフリカ史研究はかなりナショナリスティックな傾向が目立ち、それはそれでいいのだが、一つの危険性もあるように思える。つまり、反植民地・反帝国主義ということでヨーロッパを批判するのだが、そのためにヨーロッパにこだわり続け、どうしても他のことが見えないということ。教育そのものがヨーロッパによる植民地型権威主義を脱していないため、研究もヨーロッパ中心主義の傾向をもつ。ややもすると「キリスト教ヨーロッパ」が進歩であり、「イスラーム教アラブ」が停滞であるかのような錯覚（これは日本でもそうだが……）。「イスラーム＝アラブ＝奴隷商人」といった、ヨーロッパ人自身が大西洋でおこなったことを無視してやられた悪宣伝による単純な図式化。ザンジバル革命で打倒されたアラブ人たちが、政治的に支配階級であったことは事実だが、そのためにアラブとの関連の研究を「ブルジョワ的、保守的」あるいは「侵略者史観」といって避けようとする傾向は疑問だ。

例えばこんなことがあった。ダルエスサラーム大学主催の歴史教師向けのセミナーで、南部アフリカがとりあげられた。南アフリカの「先住者」あるいは「同時進入」神話というのがある。つまり、現在の南アフリカの白人少数政権は自分たちの存在を正当化するために、「現在の南アフリカの地域には、先住民であるコイサン（俗にいうホッテントットやブッシュマンなどは差別的蔑称）を除けば、オランダ人（現在の白人の主力）も、バンツー人（現在のアフリカ人）も同時にやってきた。だから南アフリカの白人はアフリカ人と同じ程度に南アフリカにすむ権利がある」と主張するものだが、それは歴史事実によって既に否定されている。それを論駁する過程で、あるタンザニア人教師が、「我々は陸を通ってやってきたんだ。海からやってきた侵略者と一緒にされてたまるか!」と叫び、それがやんやの喝采を博していたが、私は非歴史的な狭いナショナリズムだと思う。海が民族の移動にとって重要なる道であったことは東南アジアの歴史がよく示しているし、日本の場合でもどこにせよ、海の果たした役割を否定することはできない。

ごく一般的には、海・大洋を危険な越え難い境界のように見なしがちだが、砂漠・高山・密林などと比べて、はるかに便利な交易・移動ルートであることが多い。例えば、ユーラシア大陸の東西交渉も従来は専ら内陸ルートの役割のみが強調され、インド洋の果たしたことが軽視されてきたと思う。そしてインド洋は単に交易の媒体であっただけでなく、その周縁に住む人びとにとっては、文化的・社会的・民族的に、共通性・関連性をもった一つの「世界」であったのではないだろうか。一六世紀からのポルトガル、オランダ、イギリスのインド洋進出、さらに一九世紀から本格化したヨーロッパ列強によるアフリカ、アジアの分割・植民地化のなかで、オマーンが海上帝国として、アラビアと東アフリカを結ぶ統合体をつくりあげていった。そういった人びとの活動を、近代的な領主をもった主権国家の概念にとらわれるとややもすると見逃してしまいがちなのである(ヨーロッパ列強による分割の結果、アフリカに作り出された人為的な国境が、文化的・社会的・民族的な統合を全く無視していたことが、現在のアフリカ諸国家間の紛争、内戦、「部族」対立を生むひとつの要因になっているのである)。オマーンにいるスワヒリの人びとは基本的にはアフリカを捨ててアラブに回帰することを選んだ人たちである。多くの人は政治的理由をあげるが、実際は経済的要因に左右されている部分が大きいと思う。スワヒリ語を全くしゃべらず、スワヒリの伝統を捨てオマーン人になりきろうとしている人びともいる。しかし多くの人びとは、緑の多いザンジバルの穏やかな気候をなつかしみ、スワヒリ語の会話を楽しみながら、アフリカ人との間につくりあげたスワヒリの、衣服・食事・習慣を慈しむように守っているのである。スワヒリに残っている多くの親類・友人に思いを馳せながら、政治情勢さえ許せば、再びザンジバルへ帰りたいという人も多い。そうしたスワヒリ出身の人びとの共同体は、スワヒリ語を含めてオマーンのなかで生き延びていくだろう。ヨーロッパという中心に逆規定された、狭いナショナリズムをこえて、インド洋を隔てるものとしてでなく、結びつけるものとしてある世界を見てみたいと思うのである。

最後になるが、市川東高校で六年間教職に就いた経験が、理論一辺倒でややもすると現実と遊離しがちな傾向にあるこのダルエスサラーム大学の研究のなかで、私の勉強を助けてくれていると思う。卒業生、同僚の先生方からはたくさんの手紙のみならず、時には日本食も送ってもらっている。さらに今夏は四人の先生方、卒業生がわざわざタンザニアまで訪ねてきてくれた。こうした大きな励ましにこの機会をかりて厚くお礼申し上げたい。

千葉県立市川東高等学校　紀要　創刊号（一九八六年二月二五日発行）より

参考文献

家島彦一「インド洋世界とダウ」『季刊民族学』七（一九七九年）。

■コラム■　オルタナティブツアー

オルタナティブツアー（ＡＴ）「タンザニアの大地」を始めたのは一九八六年だった。途中二年ほど中断があったが、ほぼ二〇年くらい続いている。このＡＴタンザニアの受け入れを始めたのは、次のようないきさつからである。

私が日本の社会を離れ、タンザニアで生活を始めた当時（一九八四～八五年）、ニエレレ政権の末期で、ウジャマー社会主義の不振、ウガンダのアミン政権との戦争の負担で、タンザニア経済はどん底であった。大学の寮で生活をしていた私も、停電、断水は日常茶飯事で、石鹸やバケツ、油、トイレットペーパーといった日常品も、闇市場で探さないと見つからなかった。他の学生たちも学問に集中するよりまず生活を維持することに汲々としていた。外国人である私は、寮で働いていたアレックスさん、グビさんの援助がなければ、生活を続けられなかっただろう。

当時確かにタンザニアの生活は大変だった。でも周りの人びとは、生活力のない外国人に救いの手を差し伸べてくれたし、彼らの生活に余裕や笑いがなかったわけではない。週末、まだ独身だったアレックス青年、グビ青年の家に行って、おしゃべりをし、ディスコに行き、親しくなるにつれ、「今度の休みに故郷の村に帰るけど、一緒に行かないか」となるのは自然だった。

ルカニ村は、その流れで訪ねた村だ。当時健在だったアレックスさんのご両親の家に泊めてもらった。私は息子の大事な友だちで、完全にお客さんだった。朝から晩まで、三食以外に、ミルク、キャッサバ、焼きバナナなどを作っていただき、近所に散歩に行けば、また知り合いの家で何かしら振舞われた。アレックスさんの家は裕福ではなかったから、電気はなく、水道も村の共同水道から汲んできていた。でも水はなにせキリマンジャロの雪解け水で美味しいし、夜は満天の星空で、南半球の星の勉強をして過ごした。ダルエスサラームでの生活の困難を忘れ、豊かな時間が流れていった。

自分がこんなにいい思いをしている一方で、当時「アフリカは貧しい。飢餓状態」というイメージが広がり、ユニセフ親善大使だった黒柳徹子が、キリマンジャロの村でやせ細った孤児を抱いて、義援金を募ったことに大いなる違和感を持ったことが手伝って、ATタンザニアの受け入れを決めたのだった。つまり、「時間がゆったり流れる豊かなタンザニアの農村に滞在し、その時間の流れに身を任せ、自分の日常を振り返ったら、豊かさの指標が少し変わりませんか?」という旅を創りたい、日本の人たちに経験してもらいたいと思ったのだ。

第二章　航海者たちの故郷

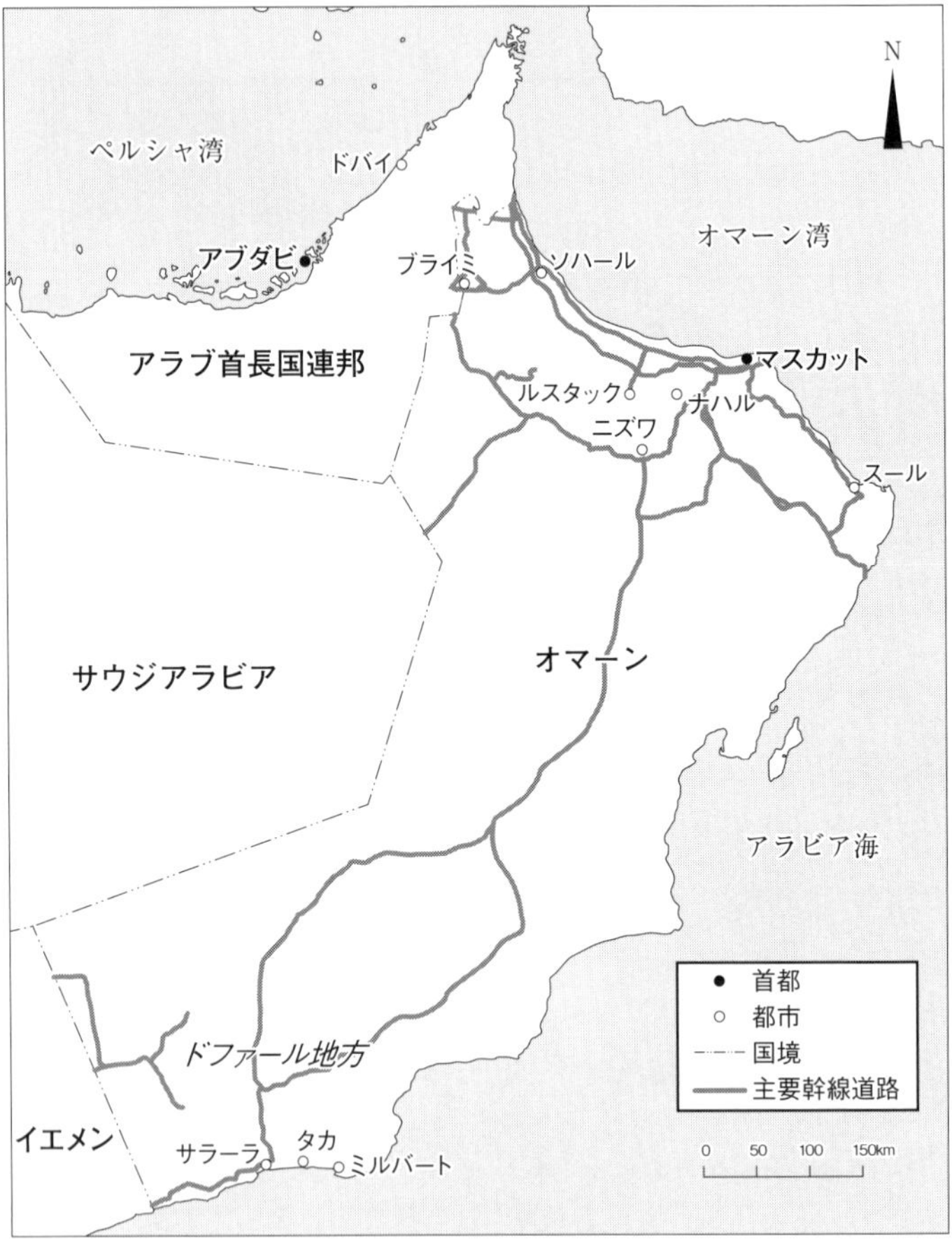
N
ペルシャ湾
ドバイ
オマーン湾
アブダビ
ブライミ
ソハール
アラブ首長国連邦
マスカット
ルスタック
ナハル
ニズワ
スール
サウジアラビア
オマーン
アラビア海
首都
都市
国境
主要幹線道路
ドファール地方
イエメン
サラーラ
タカ
ミルバート
0 50 100 150km

オマーンの地図

第2話　オマーン紀行

二〇一四年一月一日

新年らしく楽しい旅の話をしたい。前回の海外旅行は二〇一一年一一月のブルンジだった。二〇一二年には日本へ行ったので、二〇一三年は五月にガーナ旅行を狙っていたが、諸般の事情で断念。行きたかったケニアのラム島も政治情勢の関係で諦め、昨年（二〇一三年）は海外旅行には行けないかなと思っていたが、知人に誘われ、一二月にオマーンに一週間ほど行くことができた。

オマーンは今回の訪問で二回目である。といっても前回は遠い昔、パスポートを調べてみたら一九八五年一〇～一一月のことで、なんと二八年ぶり！　前回は、私が最初にタンザニアに来た一九七五～七六年にダルエスサラームで四ヵ月ほど下宿させてもらったザンジバル出身のアラブ系のサイディさん一家がオマーンに移住していたので、訪ねて行ったのだ。サイディさん一家はそのころマスカットの空港近くのシーブ地区に住んでいて、またお世話になった。また当時私はダルエスサラーム大学大学院に留学していたのだが、同期生のアラブ系ザンジバル人の学生の従兄がマスカットで働いていたのでその人も訪ねた。

つまり、ザンジバル系の人たちの人脈をたどった旅で、会話はほとんどスワヒリ語で済んだ。私はアラビア語は話せないし、ザンジバル系の人たちを除くと、英語を話せるオマーン人も少なかったように思う。空港とか、銀行とか町中の要所のオフィスには（オマーン人に比べ教養のあるといわれる）ザンジバル人がけっこういて、オマーン風の伝統的なターバン姿をしていても、スワヒリ語を話してくれたりした。ただサイディさんがアブダビ日帰り旅行に連れて行ってくれた時、ブライミ（編者注：オマーンの特別行政区）の国境では「絶対にスワヒリ語を話すな、英語で話しかけろ」と注意されたことを覚えている。

この背景には、オマーンが一九世紀に海上帝国を形成し、オマーンとザンジバルを含めた東アフリカ沿岸一帯を支配した歴史がある。一八〇四〜五六年の治世だったスルタン・サイードの死後、その帝国はオマーンとザンジバルに分かれた。それから一世紀以上経った一九六四年のザンジバル革命後、スルタンをはじめとして多くのオマーン系ザンジバル人は、故郷の紐帯を頼りにオマーンに亡命しようとした。しかし、当時のオマーンは鎖国状態で、亡命者の帰国を拒んだ（ザンジバルのスルタンは英国に亡命した）という。一九七〇年、皇太子だったカブースが宮廷クーデターを起こしスルタンとなって、石油収入を基に国の近代化を開始してから、ザンジバル人の亡命（帰国）が許されるようになった。

一九八五年当時、旧ザンジバル人はドバイ、アブダビなどに散らばり、オマーンでもマスカットには大きなザンジバル人居住区があった。ザンジバル人の学生の従兄はタンザニア国籍で出稼ぎという状態だったが、サイディさん一家は永住を決意してマスカットに移住していた。詳細は聞かなかったが、ザンジバル出身ということを隠して、先祖の出身の村生まれということでオマーン国籍を取っていたと思う。まだ国内外の情勢次第では存在が微妙だったのだ。オフィスの受付などにいた英語を話せる女性がかなり高い確率でザンジバル出身だったのは、鎖国状態から解放され、女子の学校教育もやっと軌道にのったばかりであったからだろうと想像している。

その時の旅では、砂漠を夜行バスで越えて南部ドファール地方のサラーラにも行った。また、大学生の従兄に連れられてその故郷の内陸山岳部ニズワの近くの村も訪ねて行った。ニズワは伝統的な灌漑水路がめぐらされ、オアシスの町という美しさを湛えていた。泊めてもらった民家では案内の従兄以外は圧倒的にアラビア語だったが、数十年前にザンジバルに出稼ぎに行ったという年配の方とアラビア語訛りの強いスワヒリ語で会話ができたことを思い出す。

さて二八年ぶりのオマーンである。前回は一人旅であったが、今回は妻が同行。そしてマスカットで日本からやって来た知人二人と合流した。二人ともタンザニアの研究者である。

今回はカタール航空を使って、ドーハからサラーラに直接入った。オマーンというとマスカット空港から入るというのが先入観だが、同行者にサラーラ直行という選択肢を提示されたので、やってみた。サラーラ到着が一時半という深夜の到着で、ビザ、両替、街までの交通、ホテルなど不安づくめで、そして時間はかかったが、まぁ何とかなった。

サラーラは南部のドファール州の州都として発展しつつあるようだが、街中は建設中のビルや空き地が多かった。私たちが泊まったホテルはシティ・センターという地区にあったが、半分以上が空き地で人影も少なくがらーんとしていて、とても繁華街とはいえなかった。日中はインド系（インド、パキスタン、バングラデシュ、スリランカ人など）と思われる労働者の人たちはそこそこいたが、オマーン人と思われるような服装をしている人たちはめったに通らなかった。夜は子どもたちを含め、人が湧いて出てきていたが。

今回サラーラに数日間いたのは、ドファール地方に多いといわれるアフリカ系の住民の人たちに出会うこと、その昔ダウ船交易が繁栄していた跡を見たいというのが目的だった。前者の目的は果たせなかった。かなり黒いなと思われる顔でオマーン風のターバンを巻いている男性や、アバヤ（編者注：アラブ女性の民族衣装）を着ている女性は見かけたが、アラビア語のできない自分では話しかけられない。スワヒリ語の単語を小耳に挟んだが、それはまた別の話だろう。

ドファール地方の港としては、廃港になったものは別として、ライスート、タカ、ミルバートが挙げられる。近代港になっていると思われるライスートはスキップして、タカとミルバートを訪ねてみた。タカは正直小さな漁村にすぎずボートもほとんど見かけなかったが、ミルバートは活気があった。浜辺一帯に船外機付きのボートが並び、魚を売っている漁師や仲買人、おこぼれを狙う海鳥もたくさんいた。市場の奥の方に中型のダウ船が四隻停泊しており、乗組員たちが漁網を干したり修理をしていた。乗組員は多くがインド系の顔をしていた。

ドファール地方は紀元前から乳香の輸出でローマなどに知られていたらしい。その乳香の産地や輸出港の遺跡が、世界遺産を構成している。そのうちの海岸沿いの遺跡二ヵ所を訪ねてみた。サラーラ

ドファール地方ミルバート漁港

市内のアル・バリード遺跡と、タカとミルバートの間にあるサムフラム遺跡だ。どちらも保存状態としては大した遺跡ではないように感じた。アル・バリード遺跡の敷地内に建てられた乳香博物館には、乳香の木が植えられ、博物館内には強い香りが立ち込めていた。また屋外には各種のダウ船の展示もあった。

遺跡そのものは修復中で中までは入れず、周りをぐるっと回っただけだったが、海との位置関係で面白かったのはサムフラムの遺跡の方である。こちらの方はイスラーム以前の遺跡で、紀元前三世紀〜紀元五世紀くらいに栄えた都市国家遺跡といわれる。ワディがアラビア海に流れ込む地点が小さな潟になっていて、細い砂州が海と川を仕切っている。おそらく満潮時には砂州を越えて海水が入ってくるのだろう。ラクダの群れが潟の水を飲んでいた。遺跡は崖の上にあり、交易船に荷物を下ろす階段があったという。後背地が砂漠、岩山で孤立した土地、一種の島のようなもので、キルワ・キシワニ遺跡の風景を思い出した。

サラーラから早朝のフライトでマスカットに飛んだ。前回は夜行バスでマスカット〜サラーラ往復をした。砂漠を横断するのを妻に見せたくて最後まで悩んだが、体力に自信がなかったので飛行機になった。

マスカット空港で日本から来た研究者二人と合流した。現在ペンバ（ザンジバル諸島の一つ）の村に住み込んで調査をしている学生Sさんの人脈を頼りにしていた。空港にはペンバ出身のNさんとモンバサ（ケニアの港湾都市）出身のAさんという二人のオマーン人が迎えに来てくれた。最初ぎこちなく英語で話していたが、スワヒリ語に切り替えて会話が弾んだ。

翌朝、タクシーを借り上げて、マスカットからスールに向かう。二八年前の地図には記されていなかった海岸沿いの快適な舗装道路を走る。『地球の歩き方』二〇一〇〜一一年版でも道路はあるが、全部は舗装されていないように記述されているから、完全舗装されたのはここ数年のうちだろう。スール郊外の天然ガスが発見されたためだろうか？

途中、運転手の案内でワディ・シャブを見学。私のリクエストでカルハートの町に寄り道する。一四世紀、イブン・バットゥータがその旅の途上で上陸し、そこから砂漠のなかの陸路を取った港町だ。「そこには素晴らしい幾つもの市場と数あるモスクのなかでも取り分けて一番に華麗なモスクがある」と書かれている町だが、その面影はなかった。船一隻なくただ海岸と家並みがある静かな町だった。

スールの町に入ったのは午過《ひる》ぎだったが、予想以上に大きい街だったので、ホテル探しに手間取っ

建造中のダウ船

た。スールは天然の良港で入り江に突き出した小さな半島に旧市街がある。本土側にニュータウンが広がりつつあるようだった。運転手は元軍人で、かつて五年間スールの基地に駐屯したという触れ込みだったが、街中のことはあまり知らないのが判明した。あるいは変化が激しいのだろうか？

旧市街のホテルに宿を取り、ダウ船の造船所、ダウ船を展示してある博物館に向かう。もう夕方だったが、造船所のオマーン人と話すことができた。彼はＪＩＣＡ研修で日本へ行ったことがあると言っていた。大型のサンブークという型のダウ船を二隻建造中だった。注文主はカタール人。船大工はインド人（カリカットなどのマラバール海岸）。材木はマレーシア、ビルマ、そしてコンゴから持ってくるという。マラバール海岸の材木は切り尽くしたのだろうか。説明では、大型の方は全長三〇メートル、幅一二メートル、総トン数は一五〇トンくらい（もっとあるのではないか）、建造に九ヵ月くらいかかると言っていた。建造コストは訊かなかったが、完成した時の販売価格を訊いたら、一五万オマーンリヤルという回答だった。約四〇〇〇万円である。用途は漁船かと訊いたら、いや輸送に使うと言っていた。

やはり半島の海岸沿いに、一九五一〜九三年の間現役だったガンジャ型のダウ船などが展示してある博物館があった（博物館は実は準備できていなくて内部は見られず）。それ以外にも一〇隻以上のダウ船がスール港内に浮かんでいた。アラブのダウ船が完全に絶滅していなくて嬉しかった。入り江の対岸に吊り橋が渡され、郊外の新興住宅街が広がっていた。ペンバ人脈の一族の家もそちら側だった。

翌日は、以前は主要幹線だったろう、マスカットへの内陸の道を走った。スールの港を海側から見ると険峻な二〇〇〇メートルを超える山脈が背景に見える。山越えになるのかと思っていたら、ラクダがいる平坦な土地を迂回していく。今回初めての経験だったのは、イブラという町の周辺の村の過疎化の現実である。イブラ在住のMさんというタンガ（タンザニア第二の港湾都市）から移住してきた方に、いくつかの村や市場跡をスワヒリ語で案内してもらった。

山村というべきある村は長い壁で囲まれ、いくつか関門があり、密集した住居になっている。周囲の丘の頂上には物見の塔がいくつか建てられていた。一九七〇年代まで氏族同士の対立、争いがあったようだが、その防御を優先とした村作りなのだろう。ワディが近くを流れ、そこから各戸やナツメヤシ畑にムフェレジ（水溝）が引かれている。丘の上には簡素なモスクがある。美しく牧歌的に見える村だったが、水道は一部壊れ、また放棄されて荒れるにまかせた家も多く住人は少なかった。

スール港に浮かぶダウ船

古い防御壁をくぐって村の中へ（イブラ近くの山村）

都会に移住してしまう若者、近くでも幹線道路沿いに新たな広い家を建てる人たちが多く、Mさん（五四歳）もそうで、職場はイブラの町にある日本車の代理店。ただ、Mさんの両親の世代には、生まれ故郷の山村を離れたがらない人たちもいるという。廃屋だが権利証は各人が持っていて、他人に貸したりはできるが、全面的に補修することは費用が大変なのだとMさんの弁。一〇年後にこの村は無人化しているだろうか？

Mさんは一九七四年、一五歳の時にタンガからご両親、兄弟と移住してきたという。ザンジバル在住者でなかったから、革命後の迫害というより社会主義（ウジャマー）政策に見切りをつけたような口ぶりだった。オマーン移住直後は貧乏で食べるものもままならず、かなり苦労したらしい。山村に住み、初めて自転車を購入した思い出を語ってくれた。

学生のSさんをイブラの郊外のMさんの家に預けて、私たちはマスカットに戻った。マスカットでは最初の日（日本から来た二人と合流した日）には、Aさんのお勧めに従って空港近くの新しいビジネスホテルに泊まった。清潔で近代的で、すぐ隣にはマスカット随一という大ショッピングモールがあった。快適ではあるが何か落ち着かず、イブラから戻った晩は、旧市街であるマトラ地区の古い中級ホテルを選んだ。すでに夜に入っていたが、マトラの町はスーク（市場）をはじめ、人出が多かった。

現在の大マスカット市は東西に横長く広がっている（後背地が山なので南には伸びられず、北は海）。旧市街といえるのは官庁街のオールド・マスカット地区と、商業地区であるマトラ地区だ。この二つの地区は隣り合っているが、その間を結ぶ車が通れる道路がやっと開通したのは一九二九年だったとい

マトラ（マスカット）の街並み

う。マトラ地区では、背後に迫る岩山と海の間には猫の額ほどの平地しかなく、ぎっしりと家屋が密集している。

二八年前、このマトラに来て「これだったら大志を持った若者は海に出たくなるよな、緑あふれるザンジバル島なんかは天国に見えただろうな」と納得してしまったことを思い出す。現在のマトラ地区は小奇麗になり、外国からの観光客も多く往来していた。たまたまイタリアから地中海、スエズ運河、紅海を抜けてドバイまで行くクルーズ船が寄港していて、年配のカップルが多く、スルタン・カブース・グランドモスクや博物館を見学したり、スークをひやかしていた。

私の主要関心事のひとつである西インド洋海域世界の広がりについて、少し感じたことを述べておきたい。今回はモンバサ出身のAさん、ペンバ出身のNさん、タンガ出身のMさんのお世話になった。アラブ人は知り合い（学生のSさん）が来たら放っておけないといわれてたっぷりと面倒をみてもらった。これはアラブ人のホスピタリティなのだということなのだろうが、タンザニア人（アフリカ人）はどうなのか、日本人だって過去は……と思わないでもないのだが。

それはさておき、マスカット在住のモンバサ出身のAさんの一族を見ると、まさに西インド洋海域世界があるのが分かる。Aさんの曾祖父はオマーンの王家であるブサイディ家の出身。モガディシオのワリ（代官）を務めたという。その後、一族はアディスアババやモンバサに長く住み、一九八四年にオマーンに戻ったという。兄弟が同じ地区に固まって住み、家族のように行き来しているが、使われる言語はアラビア語をメインに、英語、スワヒリ語、ソマリア語、アムハラ語など多様である。アラブ人と言ってもオマーン人だけではなく、イエメンのハドラマウト出身の女性もいた。顔も明らかにソマリア系の人もいたし、ケニアに親戚も会社も残している人もいた。ケニアやタンザニアとの往来も盛んだ。

Nさんとはあまり話せなかったが、ペンバに里帰りすることはあるようだ。タンガ出身のイブラのMさんは、苦しかった時代の記憶が鮮明なのか、子どもたちにスワヒリ語は教えていない。本人も私たちと話すときは、スワヒリ語の単語を思い出しながら話していた。本人もタンザニアには二度と行きたくないと思っているようだ。ニエレレの評価にどうしてもザンジバル系アラブの人たちは辛くなるが、Mさんも「アフリカ人がアラブ人やインド人を追い出してタンザニアをダメにしてしまった」というようなことを漏らしていた。

ニエレレはザンジバルと連合してタンザニアという国を創ったので、ザンジバル人、特にアラブ系の人たちのなかには国を奪われたという気持ちが残っている。それがずっと伏流してきて、昨今の憲法改正論議でザンジバル分離派の運動として顕在化しているのだろう。しかし、ニエレレの本音は「アラブ人なんかと一緒にやりたくない」というものではなかったかと思わせることがある。つまり、それはニエレレの英国的教養、キリスト教的人道主義の背景があるからだと思う。もちろん、ニエレレは現実的な政治家だから、本音はめったに吐かなかった。

さらにいうと、一九世紀に西欧で成立した陸域の国民国家の膨張が、それまで境のない交流を可能にしていた海域世界にどんどんと入り込んで来たのだ。ニエレレは海域世界という認識に乏しく、西欧社会の発想に取り込まれていたのではないかというのが私の仮説である。オマーンでお会いした人たちは、海域世界の末裔たちであった。

味気ない話になってしまうが、やはり開発・発展の問題にも少し触れよう。オマーン・ルネッサンスと呼ばれる近代化は石油・天然ガスの収入に負っている。豊かに見える半面、カタールやアラブ首長国連邦ほどではないにせよ、オマーン人が肉体労働に従事する比率が減り、昼の街中ではインド系の人びとが目立つ。コスモポリタンなインド洋海域世界が現出しているのである。ザンジバルをはじめとした東アフリカからの移住者も、フィリピン人などのお手伝いさんを家庭内で雇用したりしていて、それなりの豊かな生活を営んでいるように見える。

その指標としてGNIよりも一人当たりのGDPの方が有効のように感じるので引用してみる。I

MFの二〇一二年の数字である。オマーンは二万五三五六ドルで世界三〇位である。ほかのアラビア湾岸の国としては、カタール、アラブ首長国連邦、クウェートなどが上位にいて、オマーンはサウジアラビアと同じレベルである。ちなみに、日本は四万六六四三ドル、米国は四万八七六一ドル、タンザニアは六二九ドル、ケニアは九六七ドルとなっている。さらに比較すると石油の出ないイエメンは一三六七ドル、インドは一五〇一ドル、パキスタンは一二六一ドルで、スリランカだけは二八七六ドルと少し高いが、バングラデシュは七九七ドル、ネパールは六九〇ドルと低い。

数字だけで判断するのは危険だが、インド系の人たちが出稼ぎに大挙してきているのは納得できる。そして、スワヒリ系の人たちもタンザニアの四〇倍の収入があれば、そこそこいい生活ができるだろう。もちろん個人差はあり、また今は余裕のあるように見えるイブラのMさんも少年・青年時代にはかなり苦労したのであろう。Mさんは非常に小柄で痩せている。夫人も大柄ではないが、息子さんはかなり長身大柄である。これは全く私の誤解かもしれないが、成長期にちゃんと食べられなかったのかなと思った。タンザニアはこれから天然ガスの収入をどう生かして、どういう発展の道を選ぶのだろうか。

今回はスールに初めて行き、ダウ船が少数ではあるがまだ現役でいるのを見ることができた。しかし、二八年間、急速に状況は変化している。今回は行けなかったニズワなどの高原地帯も大幅に変わっていると聞いた。一九世紀はオマーンの山中から若者はザンジバルを目指した。今は逆になって、オマーンとザンジバルとの経済格差はかなり開いたということなのだろう。

若い時は「見落としたら、また来ればいいのさ」という旅のスタイルで、貪欲に全部を見てやろうという旅ではなかった。しかし自分の持ち時間が残り少なくなってきているのを自覚するにつけ、還らない旅になってきている。二〇一一年に行ったモンバサ、マリンディの旅、昨年のウジジ、タボラというキャラバン・ルートの旅の続きである。「これがもう見納め」という旅をいつまでも続けられたらいいのだがと、虫のいいことを考えつつ。

参考文献

イブン・バットゥータ著、家島彦一訳注『大旅行記 3』(平凡社東洋文庫、一九九八年)。
Chirstiane Bird, 2010. *The Sultan's Shadow*, Random House.
Saud bin Ahemed al Busaidi, 2012. *Memoirs of an Omani Gentleman from Zanzibar*, Al-Rolya Press and Publishing.
家島彦一『海が創る文明』(朝日新聞社、一九九三年)。
Alan Villiers, 2006. *Sons of Sindbad*, Arabian Publications.

第3話 マスカット再訪

二〇一六年二月一日

この一月にオマーンのマスカットを一週間ほど訪ねた。オマーン訪問は二年ぶり三回目である。前回の訪問では、当時ペンバ島で調査をしていた日本人研究者の知人でザンジバル出身者の人脈をたどってスワヒリ語で旅をした。その時に情報を得ようとして果たせなかった私自身の知人の消息がわかり、連絡も取れたので再訪しようということになった。

四〇年も前、その知人サイディさんのダルエスサラームの家に、私は大学生時代の旅行（一九七五～七六年）の際に泊めてもらった。それも半年間という長期で、サイディさんの家族と暮らし、食事を共にし、子どもたちと遊び、スワヒリ語だけではなくスワヒリの文化を生で体験させてもらった。私が現在ここダルエスサラームで暮らしている原因を作ってくれた大恩人の一人である。一九八五年にはオマーンに移住していたサイディさん一家を訪ねて、マスカットで歓待を受け、さらにアブダビの旅にも同行させていただいた。自分自身が還暦を超え、老境に入ったサイディさん（七三歳）と何とかもう一度会っておきたいという気持ちが強かった。消息がわかった時には、数年前に交通事故に遭われ、現在車いす生活だと聞いたので、なおさら気持ちは急いた。

今回はやはりサイディさんにスワヒリ語・スワヒリ文化の手ほどきを受けた先輩のMさんとカタールのドーハで落ち合い、マスカット空港に降り立った。サイディさんは一九七四〜七五年に東京外国語大学の研究者に招聘され、一年間スワヒリ語のインフォーマントとして日本で生活している。いわば日本でのスワヒリ語学の基礎作りに貢献していただいた恩人でもある。

マスカット空港では、サイディさんの長男であるアフマッドさん（五二歳）が出迎えてくれた。ビザ取りに時間がかかった私より一足先に出たMさんには、アフマッドさんと四三年ぶりに会うのだから、顔が分かろうはずがない。アフマッドさんは私と一緒に日本人が二人出てくるだろうと思っていたから、Mさん一人だけ出てきたのではわからない……。ところが、これがわかったんだな。アフマッドさんがオマーン航空の職員ということはMさんは知っていたので、制服を着て人待ち顔でいる人に近づいたら、その横顔がサイディさんそっくりだと感じて話しかけたという。

アフマッドさんの車でホテルまで送ってもらう。予約してもらっていたのだが、そうじゃないかな

ダルエスサラーム在住時のサイディさん家族（1972年。撮影Mさん）

と思っていた通り、二年前に泊まったホテルだった。空港近くの中級ホテルということになるのだろう。シングル朝食付きで一泊六〇リヤルのところを、アフマッドさんの長男の努力で三五リヤルで泊まった。それでもオマーン・リヤルは強いから（一リヤル＝三三〇円）、一万円を超える。タンザニアだと中の上クラスの値段だ。快適なホテルで、私たちは五泊したのだが、ずっとドイツ人大学生のスタディーツアーのような一団が二〇人以上泊まっていた。

入院中のサイディさんの面会時間は一六時からだそうで、ホテルに迎えに来てくれた次男（上から四番目）のハミシさんと病院に向かう。ハミシさんは一九七五年生まれ、私が最初にダルエスサラームで会った時は生後数ヵ月の赤ん坊だった。それが身長一八〇センチメール近い巨漢になっている。やはりサイディさんによく似ている。サイディさんが入院しているのは王立病院で、近代的な設備をもった立派なものだった。アフマッドさんとハミシさんの二人の息子が毎日交代でお見舞いに行き、好みの食べ物とかを差し入れしているという。この日はハミシさんの当番の日だった。

感染症を患ったサイディさんは個室にいて、入室する人は手を洗い、上っ張りを羽織り、マスクをするという厳重な防備体制である。付き添いに家族が雇ったベンガル人の若者がいた。サイディさんは横になっていたが、言葉ははっきりし、記憶もしっかりしていて、十分な会話ができた。四〇年前にダルエスサラームで初めてお会いした時のこと、三〇年前にマスカットを訪ねた私を歓待してくれたこと、アブダビへの旅のことも鮮明に浮かび上がってきた。Mさんは一九七二年にサイディさんにお世話になっているのだが、その時のセピア色の写真を持参しておられ、サイディさんに見せていた。

思わず涙ぐみそうになってしまった。もう一ヵ月半ほど入院されているのだが、快方に向かっていて今週末には退院できるかもしれないということで、再会を約してその日はお別れした。

翌日は、アフマッドさんもハミシさんも仕事があるので、アフマッドさんの長男で大学一年生、ただし一週間の休み中というモハメドさん（一八歳）が、マスカット案内をしてくれた。ホテルに登場したモハメドさんは間違いなく一〇〇キログラムを超える巨漢で、昨日のハミシさんといい、なぜサイディ家の血統はこうも縦横に大きくなるのか、タンザニアよりもよほど食料事情がいいに違いないという話題になった。運転免許を取ってまだ三ヵ月の若者が時速一三〇キロメートルの速度で運転するから、助手席に乗っていると正直怖い。しかし、マスカットの道路は年々整備され、時速八〇キロメートル以下で走ってはいけない高速道路などが縦横に伸びていて、二年前よりさらに発展していた。

大マスカット市域の古い地区、本来のマスカット市ともいうべき、マトラとオールド・マスカット地区を案内してもらう。マトラではクルーズ船などが寄港する商業港と魚市場とスーク（市場）、オールド・マスカットではスルタンの王宮を案内してもらった。王宮の裏手には海があり、そこにはポルトガルやオスマン・トルコ、英国との争奪の歴史のなかで、軍港としてマスカットを守ってきた二つの砦（ミラニとジャラーリ）があるのだが、そこへ行く道を若いモハメドさんは知らないということでその日は断念した。私のスワヒリ語が足りなかったのかもしれない。モハメドさんは家庭内で父親とは英語、母親とはスワヒリ語、そして学校ではアラビア語と英語で生活している。私たちとはほとんどスワヒリ語、ときどき英語という関係だった。

マスカット市内観光はやや物足りなかったが、その日の昼食はアフマッドさんの家に呼ばれているので、適当に引き上げて向かう。街中と空港の間の高速道路を少し南下した新興住宅街に豪邸はあった。その地区の一区画の分譲価格は一〇年前には四五万円ほどだったが、現在は二八〇万円に値上がりしているという。一三時半、アフマッドさんはまだ勤務中で不在だったが、サイディさんの夫人のザイナブさんと三〇年ぶりの再会を喜ぶ間もなく、サイディさんが今日退院して向かっているという嬉しい知らせ。ほどなく次女のハリマさんが運転した車に乗って、サイディさんが到着。孫たちに抱きかかえられて車いすに乗せ変えられ、わずか半日ぶりの再会、退院を祝う。「私たちがお見舞いに来たから退院できたね」とうそぶく私であった。

ハリマさん（四五歳）とは四〇年ぶりの再会だったと思う。一九八五年のマスカット訪問の際は彼女はドバイにいて、会っていなかったはずだ。サイディさん一家はダルエスサラームからオマーンに移住したが、それはすんなりいったわけではない。一九六四年のザンジバル革命後、自身あるいは先祖の故国オマーンを目指す人は多かったが、当時のオマーンは鎖国状態でアフリカ帰りのオマーン系の人びとを受け入れなかった。一九七〇年七月に若きカブースが父を追うクーデターをおこない、開国、近代化を始めたが、そこで一気に帰国者が増えたわけではない。そこにはさまざまなストーリーがあるのだが、まずは開放的なドバイに赴き、自分たちがオマーン起源であることを証明してからオマーンに帰国する人が多かったらしい。

サイディさん一家も、一九八〇年に長男だったアフマッドさんを親戚に託してアブダビに先発させ

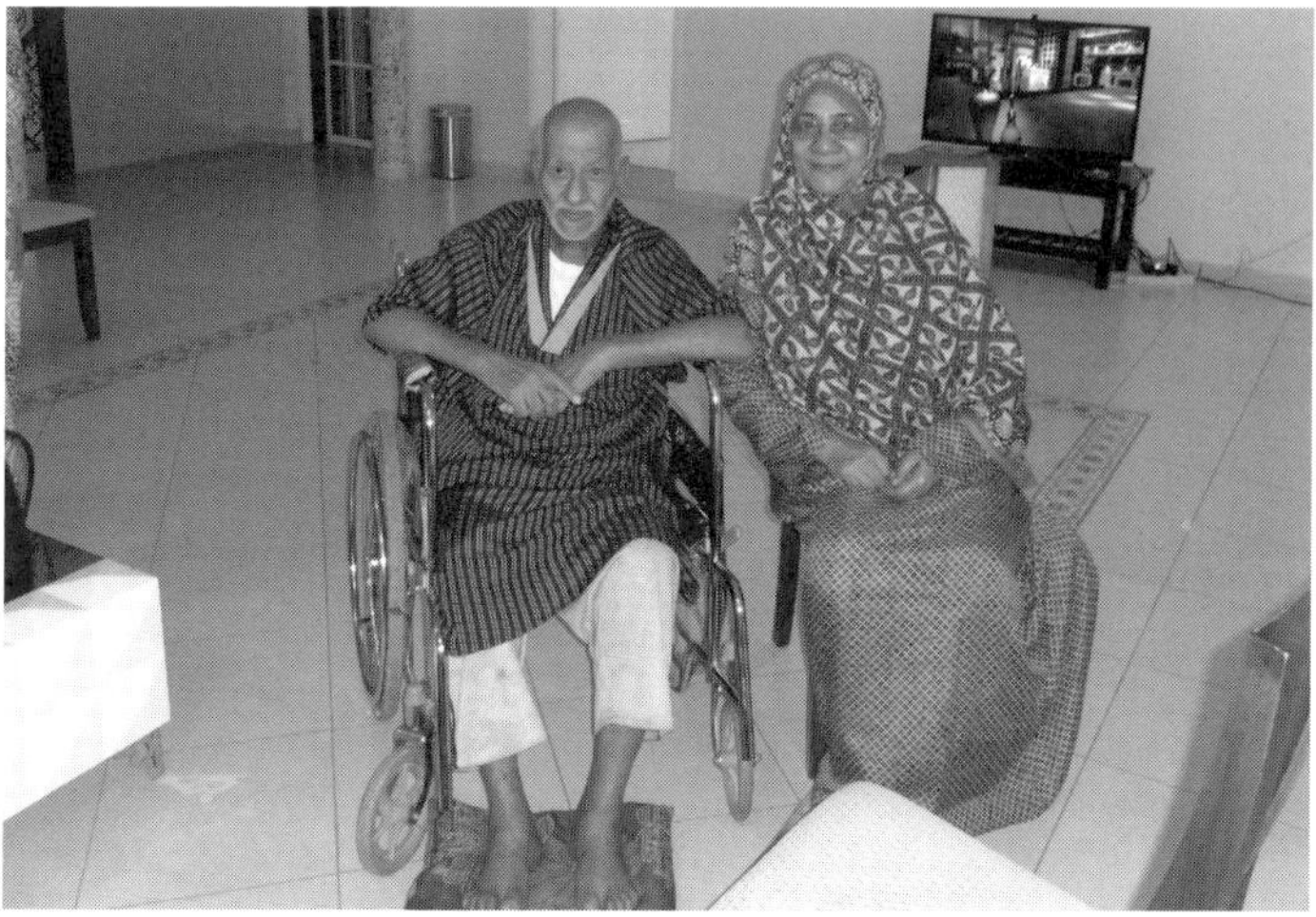

サイディさん・ザイナブさんご夫妻

た。アブダビにはサイディさんの長兄であるナソロさんが先行して移住していたのだ。サイディさんをはじめとするほかの家族は一九八二年にダルエスサラームを出たという。前回（本書第1話）の報告に、「ただサイディさんがアブダビ日帰り旅行に連れていってくれた時、ブライミの国境では『絶対にスワヒリ語を話すな、英語で話しかけろ』と注意されたことを覚えている。」と書いた。このことをサイディさんに言うと「あのころはパスポートもビザもなかったからな」とぼそっとつぶやいた。

一九八二年という段階を取ると、長男のアフマッドさんは一九歳、長女のジャミーラさんが一六歳、次女のハリマさんが一二歳、次男のハミシさんが七歳、三女のファトゥマさんが四歳という家族構成だったはずだ。上の二人の娘たちは、ダルエスサラームの小学校でスワヒリ語で教育を受けたから、英語力は貧弱で、アラビア語はほとんど会話もできなかったらしい。サイディさんは娘二人をドバイにおいて、英語の特訓をさせたらしい。難民のような語学の難関が二人にはあったのだろう。その点、下の二人は幼かったから、比較的簡単に乗り越えたのだろうか。一九八五年には、サイディさんの家は海辺にあったから、ハミシさん、ファトゥマさんと私は海辺で遊んだらしい。ハミシさんに言われたけど思い出せないし、ファトゥマさんの存在自体を忘れていたくらいだ。申し訳ないと思うとともに、子どもたちの記憶に残っていたことが嬉しかった。

一九七五年まで遡ると、アフマッドさん、ジャミーラさんは小学校に通っていて、当時五歳のハリマさんだけが昼間家に残っていた。ハリマさんが私のスワヒリ語の先生だったのだが、ハリマさんに自分の名前の書き方を教えたのは私だったと言われた。ハリマさんはかなり明るい騒がしい子どもで、私からいつも「うるさい！」と怒られていたらしい。私もその記憶はうっすらあるのだが、彼女からもそれを言われた。今も明るく若々しい。娘さんが一九歳の大学生なのだが、並ぶと姉妹のように見える。娘さんもお母さんに似て聡明で元気だ。経済学専攻で大学の成績もいいらしく、卒業してどうするのかと訊いたら、「いったん仕事をするけど、奨学金を探して修士を取りたい」と言うので、「日本政府の奨学金情報に気をつけていて、あったら応募して日本へおいで。下宿はさせてあげるから。夜遊び厳禁の頑固親爺を覚悟しな」と言ってしまった。安請け合いだったか。

三日目はそのハリマさんが「私が当番」と言って、マスカット観光案内を引き受けてくれた。運転手はモハメドさん。最初にスルタン・カブース・グランドモスクに行く。イスラームの宣伝のためのモスクで、観光客に積極的に開放されている。日本人の団体ツアーとも遭遇した。モスクの広報部によると『図解イスラームガイド』（イスラミックセンター・ジャパン発行）という小冊子を渡される。私たちがスワヒリ語ができると知ると、コーヒーとデーツ（ナツメヤシの実）を勧められて延々とイスラームの宗教としての正しさを講義されたのには参った。広報部にはざっと見たところ男女七～八人のスタッフがいたが、その過半数がザンジバル出身者であるという。その後、自然史博物館見学後、前日見逃したオールド・マスカットの砦に行く。ハリマさんが「日本からのお客さんだから」と交渉してくれたけど、もちろん内部には入れてくれなかった。その後、ズベール邸民芸館見学。

マトラのスーク近くで一三時になったので、ハリマさんとモハメドさんはお祈りへ。彼らはオマーンで多数派のイバード（編者注：イスラームの宗派。オマーンに多い）で、スンニともシーアとも違うのだが、どのモスクでもいいのだそうだ。つまり、イバードのモスクが近くになかったら、シーアのそれでもスンニのそれでも問題ないそうだ。ただ金曜日の礼拝の場合、導師が講話し、礼拝を主導するので、その場合、シーアではまずいと言っていた。この話を日本にいる知人に伝えると、ちょうど私たちのオマーン旅行の最中の朝日新聞に大きな記事になっていたと複数の方から知らされた。朝日新聞の最近のアフリカ関連の記事は不勉強が目立つけど、まともな記事もあるのだ。二人のお祈りを待って、マトラのインド・レストランで昼食。アラブ料理とインド料理の混合。「お客に払わせるわけにはいかない」という彼女と「案内のお礼だ」という私との請求書の取り合いの後、マトラのスークで妻へのお土産にする布地の選択を頼む。

四日目は昼間はのんびり。ホテルの近くの大ショッピングモールに出かけて食料品（デーツや干しブドウ）を見たり、近くのトルコ料理のレストランや屋台を覗く。カバブを挟んだサンドウィッチで軽い昼食。ガソリンスタンド脇で車で来る客に出すドライブインのような店。この日ではなかったが、トルコ料理店の裏にスワヒリ料理店があるのをハミシさんに教えてもらい、夜入ってみると、お客は私たちだけで、ルワンダ人のボーイがいた。ルワンダ人は片言のスワヒリ語を話す。料理はビュッフェ形式で、ピラウやココナッツ飯、ンディジ（バナナ）、ウガリ、ミホゴ（キャッサバ）などの主食に各種のムチュージ（スープ）が揃っていた。これじゃ商売にならないだろうと思って食事をしていると、キレンバ（ターバン）を巻いた若い男たちがテイクアウェイをしていた。つまり、家族もちは家で食べるから単身者や大学生たち相手なのかもしれない。

その晩は、ハミシさんの子どもたち二人の誕生パーティー。誕生日は違うけど同じ月生まれで一緒にやる。近在の親戚が多く集まるというので、私たちも押しかける。行く直前になって手ぶらであることに気がつくけど、ずうずうしく送迎付きで出かける。そこでまだ会っていなかった長女のジャミーラさんと四〇年ぶりに再会する。五人子どもがいるという。ちなみに、アフマッドさんは三人、ハリマさんは二人、ハミシさんは二人（三人目が夫人のお腹にいる）、ファトゥマさんには二人ということで、サイディさん、ザイナブさん夫妻の孫は現在一四人。全員マスカットにいるという。なお、ザイナブさんは前夫との間に四人の子どももいて、そちらの方の孫は一九人。現在生きているのは三人の子どもと一七人の孫らしいが、ザンジバル在住だという。ザンジバルらしく子どもの数は多いが、オマーンは最近は教育費用の関係か、子どもは二～三人という世帯が増えてきているのだろうか。さ

孫たちの誕生パーティー

パーティーでのスワヒリ料理

らに従兄弟の子どもとかその夫とか、後から後から紹介されて関係がどんどんこんぐらがってくる。一九七五年のダルエスサラームでサイディさんの家に住んでいたサイディさんの兄の子（アフマッドの従弟）であるジャマルさんにも、おそらく三〇年ぶりに再会し「おまえは俺を忘れたのか？」と責められる。四〇年前のひょろっとした少年の記憶しかない私は、色が黒くなって精悍なジャマルにたじろぐ。孫たちとその友だち連中は大騒ぎで、週末の夜、遅くまでやっていたらしいが、私たち年寄りは二二時半ころに満腹して送ってもらった。

オマーン、そして湾岸諸国の週末は金〜土曜である。以前は木〜金曜だったが、欧米キリスト教世界と完全に違ってしまい、ビジネスのロスが出るので、一日重ねたのだという。アフマッドさん、ハミシさん兄弟も休暇で、二日間私たちの観光につきあってくれるという。前回の旅では、サラーラなどの南部地方、スール、イブラなどの東部地方に行き、もっぱらダウ船建造や漁業などの様子を見たので、今回はニズワなどの北部の山岳地帯のオアシス都市を訪ねたいというのが私の希望だった。

一九八五年の旅では、当時ダルエスサラーム大学に在学中だったザンジバルのアラブ系学生の従兄がマスカットに出稼ぎに来ていて、彼ら一族の故郷に連れていってくれた。暑い時期、屋外で満天の星を見ながら眠った記憶がある。それがニズワの郊外の村だったと記憶していたから、ニズワ行きの希望をアフマッドさんに伝えた。そうしたら、アフマッドさんから「それはニズワじゃなくてルスタックだと聞いたよ」と言われた。ここでも自分の記憶のいい加減さと、子どもの記憶の鮮明さに気づかされた。そこで週末は、金曜にニズワ、土曜にルスタックへ日帰りすることになった。往復三五〇キロメートルくらいだから一泊すればいいのにと思うが、何せ産油国だからガソリン代を気にしない。といっても、その日まで一リットル＝一二〇バイザ（一リヤル＝一〇〇〇バイザ）が翌日には一六〇バイザになると報道されていたから、深夜に満タンにしてくれたらしい。感謝。

五日目の朝、長距離だから七時に出発しようと言われ待っていたが、結局出発は八時半過ぎだった。アフマッドさんはサイディさんを一人にできないと、前夜のハミシさんの家のパーティーには来なかったけど、夫人や子どもたちの帰りを待っていたのだろう。ニズワの町へ向かう。マスカット郊外の新興住宅地が切れると、ところどころに小さな村が後ろに飛んでいくが、その向こうにはほとんど緑がないむき出しの岩山が連なっている。アラブ諸国は初めてのMさんには異様な風景に見えるかもしれない。一九七六年、アフリカの旅からの帰りに私はアフガニスタンに寄ったのだが、カーブルからバーミヤンへ向かう定期バスに乗っていて、東南アジアの華僑の若者が「無用の土地（Useless land）」と叫んだのを思い出す。湿潤な東南アジアや東アジアに育つ人間と中央アジアの乾燥地帯に生きる人間の感性は違うだろうなと思ったものだ。

ニズワの町に到着したのは一〇時半近くだったろうか。記憶とは違い緑滴る小さなオアシスの町ではなく、平坦な地に広がった大きな都市であった。やはり三〇年前に来たのはルスタックだったのかなと思う。金曜日なので野外スークが開かれていて、ウシやヤギを乗せた車も見かけたが、一一時までといわれるニズワ城の開いている時間に間に合うように城に直行する。ニズワ城は円形の城で一七世紀の建造という。ぐるりを回ると、スーク、ナツメヤシの林、岩山などが眺められる。落とし穴やデーツの貯蔵庫などの説明がある。

正午になると、もうスークも仕舞かけになり、あまり回ることはできなかったが、魚市場もあった。こんな山の中まで、東部のスール方面から魚が運ばれてきて結構人気があるのだという。一三時のお祈りの後、開いているレストランで食事を摂ったが、私は山中にもかかわらずエビのピラウを食べた。同行のMさんとアフマッドさんはラクダの肉を食べていたが。

昼食後は、ニズワ郊外のタヌーフというミネラルウォーターのブランドになっている村からワディに入る。私がファラジ（灌漑・家庭用水路）を見たいと言ったからだ。二年前の東部地方のイブラの村で見たのと同じように、古い自然の地形を生かした家屋の集合体である村は次第に放棄され、幹線道路沿いに新しい村が形成されつつある。このタヌーフでも、ファラジが通っているが放棄された廃墟となった家をいくつも見かけた。

ワディを遡る。オマーン人はワディでピクニックが好きなのだろうか、車があちこちに停めて食事をしている人たちを見かける。欧米人らしい人もいる。アフマッドさんはかなり以前に来たことがあるようで、どんどん悪路を登っていく。オマーンの在来種というヤギの群れを見かける。と、木陰にラクダ二頭。子どもだったが、Mさんには初めて動物園以外で見るラクダだった。昼食に食べたご利益かな。さらにどんどん登っていく。人影は見えない。グランドキャニオン（見たことないけど）のような、といわれる切り立った岩山。でもナツメヤシの林があるから人跡はあるのだ。最後の集落の近くと思える地点には車が二台と建材が置いてあった。そこで引き返す。途中バコラ（？）という遊牧用の棒をもった青年とすれ違う。歩いて集落に帰るのだろうか。

六日目は最終日で、二二時二〇分発の飛行機に乗らないといけない。しかしルスタックの方は近いからとゆっくり出発（八時の予定が九時過ぎ発）。アフマッドさんとハミシさんの二人が同行する予定が、当日三人増えた。モハメドさんと、ハリマさんの息子のアズハルさん（一八歳）、さらにザイナブさんの妹の子どもというセイフさん。セイフさんはザンジバル在住で当地に商売に来ているようだが、アラビア語がほとんど話せないようだ。したがって車内の会話はスワヒリ語が優勢なのだが、モハメドさん、アズハルさんのような孫の世代はスワヒリ語を聞きとれるが話すのはあまり得意ではないようで、彼ら同士の会話はアラビア語。モハメドさんとお父さんとの会話は英語が多く、私たちも確実を期すために英語の単語を交えて話す。ともあれ、多国籍、幅広い年代の男たち七人を一台の車に詰め込んでの道中となった。

ルスタックへの道中にマスカットから一〇〇キロメートルちょっとの地点にナハルという村がある。ここがサイディさんの一族の故郷だと聞いて、寄り道してくれるようにお願いした。この村には豊かな湧水があり渓谷は涸れ川ではなく、清流が流れ小魚がたくさん泳いでいて、手づかみができそうな感じであった。休日のため、やはりピクニックの車が多く、川の対岸では学校の生徒のような若者（男）たちが楽器を楽しそうに演奏していた。ファラジは各家庭を通り、ナツメヤシの畑を潤していた。ニズワやルスタックよりも緑が濃く、住みやすそうだった。

サイディさんの一族の家を探しながら行った。工事をしているベンガル人と思われる労働者にアラビア語で訊きながら、林の間の細道を抜けてたどりついた。サイディさんのお父さんのモハメッドさんがここの出身で、一九三七年ころ、当時四〜六歳だった長男ナソロさんを連れてザンジバルに出かけたということだ。サイディさんは三男だが、ジャマルさんの父である次兄スレイマンさん以降はザンジバル生まれということだった。ザンジバルではストーンタウン郊外でもっぱらチョウジ（クローブ）とココヤシの畑を生業としていたらしいが、ここらへんは確実ではない。今後の聞き取り調査の課題になる。

さて訪ねた家は、モハメッドさんの従兄弟の一族だという。つまりモハメッドさんのお父さんのサリムさんの弟のスレイマンさん（ジャマルさんの父とは別人）の子どものナソロさんの子どものムハンマドさん（サイディさんと同世代）が現在の家長になる。この方はほんの少しの英語以外はアラビア語しか話さず、質問はアフマッドさん経由になった。ただその息子さんのドクター・アフマッドさん（サイディさんの息子のアフマッドさんと同世代）は英国で医学を修めた医者だったので流暢な英語を話す。ただ、残念ながらザンジバルに出かけていった世代のことは知らなかった。

この家を訪ねた時は男の子どもたちが門で出迎えてくれ、中に案内してくれた。庭には年配の女性の姿も見えた。広い居間に案内されてしばらくして、ドクター・アフマッドさんが正装で出てこられた。その後、家長のムハンマドさんが出てこられ、果物（スイカ、オレンジ）とデーツ、コーヒーが振る舞われた。最初、普段着で門で出迎えた男の子どもたちのうち、上の二人は正装に着替えてきた（下

ナハルの渓谷

ナハル村にいるサイディさんの一族

の二人は変わらず）。女たちは子どもを含めて全く姿を見せなかった。もし、次回、私が妻と一緒に訪問したら、どういうもてなし方をされるのだろうかとちょっと興味を持った。しかし、この一家からは東アフリカに渡航した人が出ていないようだから、スワヒリ語は通じないだろう。

このナハル村の居心地のよさに長居をしてしまい、ルスタックに到着したのは一四時を過ぎていた。ルスタックもニズワほどではないにせよ、平坦地にだだっ広く拡がった都市であった。昼食を摂るレストランを探したが、なかなか見つからない。ルスタックの人は昼食は自宅で摂るし、労働者も少ないからレストランは昼間は閉まるのだと言われた。聞きまわってやっと見つけたレストランはイエメン料理。魚と鶏のピラウを頼んだが、イエメンではマンディとよぶのだと言われた。

ルスタック城に到着したのは一五時五〇分ころ、一六時に閉まるのでもう時間がなく、入城を諦めた。かなり敷地の広い、つまり城壁の長い城の周りを二周したが、ナツメヤシの林とファラジに囲まれていた。その後、マスカットに一直線で帰り、ハミシさんの家でコーヒーをご馳走になってハミシさんと別れ、アフマッドさんの家に向かう。そこでサイディさん、ザイナブさんご夫妻に最後のご挨拶をし、まだ少し時間があったので、ナハル村で訊けなかったサイディさんのお父さんのモハメッドさんがザンジバルに向かった時の話を聞こうと思ったら、何と軽い夕食が用意されていて、空港に向かう時間を気にしながら、最後のおもてなしを受けることになった。

一九八五年に最初にオマーンを訪ねた時、マトラとオールド・マスカット地区を見て、海岸にへばり付くようにある一片の平坦地と、それに迫る緑のほとんどない岩山を見て、あぁこれだったら若者

イエメン料理

たちが外の世界、緑なすザンジバルを目指したのは当然と思った。それは南部のドファール地方とか東部のスール周辺の地域の風景を見てもゆるぎのない感想だったが、緑の多いナハル村からザンジバル村の風景を見て少し疑問に思った。ナハル村からザンジバルを目指した人たちはどういう人だったのだろうか、ほかの地方と比べて少なかったのだろうか。インド洋西海域世界のなかのスワヒリ世界の広がりについて、もう少し考えてみたい。そしていわゆるスワヒリ人と呼ばれる人たちの多様性と共通性についても。

私は日本へ一時帰国して一週間も経つと、日本の忙しさ、他人行儀が嫌になって、早くタンザニアに帰りたいと思うのが常なのだが、今回のオマーン旅行ではまだ帰りたくないなと思った。それは出会うサイディさんの一族の人たちが口々に「もう帰るのか、短すぎる、もっといたら」と言ってくれるからでもある。それはリップサービスの面もあるとはいえ、一族の濃密な紐帯を感じさせてくれた。

　今回が最後のオマーン巡礼と思って出かけ、そして会いたいと思っていた人たちとはほとんど会えたので嬉しかった。だが、サイディさんの体調を慮ったためもあるが、ご夫妻との時間が十分取れず、ご夫妻の両親の世代がオマーンからザンジバルを目指した時代の背景、気持ちというのを十分にくみ取ることができなかった。インド洋西海域に生きてきた人たちの世界の歴史を組み立てるためには、文献に現れない部分にもヒントが隠されていると思う。再訪があるのかなという思いだった。

参考文献

Christiane Bird, 2010. *The Sultan's Shadow*, Random House.
Saud bin Ahmed al Busaidi, 2012. *Memoirs of an Omani Gentleman from Zanzibar*, Al Roya Press and Publishing House.
Abdul Sheriff, 2010. *Dhow Cultures of the Indian Ocean*, C. Hurst & Co.
Alan Villiers, 2006. *Sons of Sindbad*, Arabian Publications..

■コラム■ キリマンジャロのコーヒー

キリマンジャロ州ルカニ村で調査をしている辻村英之さんによれば、一九九八〜九九年東京の喫茶店のコーヒー一杯の平均価格が四一九円の時、タンザニアのコーヒー農家の取り分は一・七円である。二〇〇一年のコーヒー危機の後、農家の取り分はさらに下がったとのことである。

ルカニ村でも、伝統的なコーヒーに頼れずに、トウモロコシなどへの転作、都会への流出、離農という現象が続いている。一時は「村に残る若者＝男はだめなやつ」という風潮が続いた。世界的なコーヒー生産者価格の低落傾向に、「コーヒー生産は報われない」という認識が若者層に浸透してしまったのだとも言える。

フェアトレードにはさまざまな定義があるものの、簡単に言うと「発展途上国の原料や製品を適正な価格で継続的に購入することを通じ、立場の弱い途上国の生産者や労働者の生活改善と自立を目指す取り組み」ということだ。コーヒーに関して言えば、ニューヨークの取引市場で決められた標準価格に、プレミアムという割増金をつけて払うのが一般のようだ。

フェアトレードという表現に対して、ある日本の商社員は「じゃあ、俺たちがやっているのは、アンフェアトレードなのか？」と皮肉ったのが、私には新鮮だった。古来商業というのは不足している所に必要な品物を供給することから成り立ったもので、大航海時代、ヴァスコ・ダ・ガマたちが胡椒を求めて冒険の航海に旅立ち、成功すれば数十倍の利益をもたらしたわけだが、それはフェアではなかったのだろうか？

二〇〇一年から辻村さんたちが続けてきた、ルカニ村のコーヒー豆のフェアトレード・プロジェクトは、試行錯誤の後、やっと軌道に乗りかけている。今まで日本の小さな喫茶店チェーンで「一杯のコーヒーからの支援」を続けてきて、ルカニ村の診療所、図書館の建設の一部を支援し、さらに村立の中学校の校舎の建設費の一部支援は現在進行中である。今年（二〇〇八年）出荷された一二〇袋の豆は、八月「Friendship Coffee「キリマンジャロ・ルカニ・アラビカ」」として販売が始まった。

少数の人間が始めたプロジェクトが、タンザニアと日本とを結びつける流れとなって行けばすばらしいことだろう。ただ送り出す側の農民たちが「フェアトレードとは少しいい条件で買ってくれる商人」というレベルの認識であれば、仲介者側の自己満足に陥る危険性はある。農民にとっては、継続的に高く買ってくれるバイヤーがいいのであり、経済原則を外れたところでフェアトレードは成り立たないだろう。

第三章　スワヒリ海岸

マリンディ
ケニア
N
モンバサ
ペンバ島
タンガ
ラス・ムクンブー遺跡
トンゴニ遺跡
チャケチャケ
パンガニ
ザンジバル諸島
トゥンバトゥ島
サダニ国立公園
ストーンタウン
ウングジャ島
バガモヨ
カオレ遺跡
ダルエスサラーム
インド洋
タンザニア
マフィア島
キリンドーニ
ナンデテ
キビンジ
マソコ
キルワ
キシワニ遺跡
ソンゴ・ムナラ遺跡
リンディ
ムトワラ
ミキンダニ
0
100
200
300km
ルヴマ川
モザンビーク

タンザニア沿岸地域の地図

第4話　マリンディからモンバサへ

二〇一一年九月一日

スワヒリというとその語源からして海岸地方のことであり、スワヒリ海岸というと南部ソマリアから、ケニア、タンザニアを経て、北部モザンビークにかけた東アフリカ海岸を指す（口絵地図参照）。したがって、スワヒリ社会研究というと、北からラム、マリンディ、モンバサ、ザンジバル、ダルエスサラーム、キルワなどの諸都市に住む人びとの研究が主になっている（ただし、キルワは現在は都市とはいえない）。

と言いながら、タンザニアにどっぷりと住み着いていると、なかなか隣のケニアにも出かけない。ザンジバルやキルワを見ていれば、スワヒリ文化の精髄は分かるとでもいうように。これではいけないと、久しぶりにケニアの南部海岸のモンバサとマリンディに、少しだけ出かけてきた。どのくらい久しぶりかというと、モンバサは一九年ぶり、マリンディはなんと三五年ぶりである。

マリンディの町はビーチリゾートとして名高いが、私が最初に訪れた一九七六年には既にリゾートとしての開発が始まっていたのだろう。モンバサからラムへ陸路での移動の最中で立ち寄って一泊した。バスターミナルの近く、市場の喧騒が聞こえる安宿に泊まって、翌朝早くラムに向かったという記憶しかなく、スワヒリの都市を歩いたという実感はなかった。ただ、アザーン（編者注：礼拝への呼びかけ）の声は聞いたような記憶はある。

さて、今回案内してくれた運転手は、普段はモンバサ空港に降り立つイタリア人観光客を、モンバサ〜マリンディ間のビーチリゾートに運ぶミニバスを運転しているという。出身がマチャコスというナイロビの東のカンバ人の地域だから、ビーチリゾート以外にあまり土地勘がない。彼に言わせると、マリンディはイタリア人のための町のようだ。実際、歩いているとイタリア語の看板が出ているレストラン、スーパーマーケットが並び、ホテルのメニューや、ガイドブックのイタリア語版が置かれていたりする（ザンジバルの東海岸のビーチリゾートにも、シーズンになるとチャーター機でイタリア人の大群が押し寄せるが）。

マリンディは、一四九八年に喜望峰を回って、モザンビーク、キルワと北上して来たヴァスコ・ダ・ガマ率いるポルトガル艦隊が寄航し、ここで水、食料の補給を受け、アラブ人の水先案内人マジッド（異説があるようだ）を雇って、カリカットへ向かった土地として名高い。ポルトガル艦隊はモンバサに入ろうとして敵視され、やむなくマリンディに回航したという。当時、マリンディはモンバサと敵対していたから、敵の敵は味方だったのか？　しかし明らかに違う民族、キリスト教徒をそう簡単に受け入れるものだろうか？

この時代の物とされる、ヴァスコ・ダ・ガマ・クロスと呼ばれる塔が海岸に立っている。元のあっ

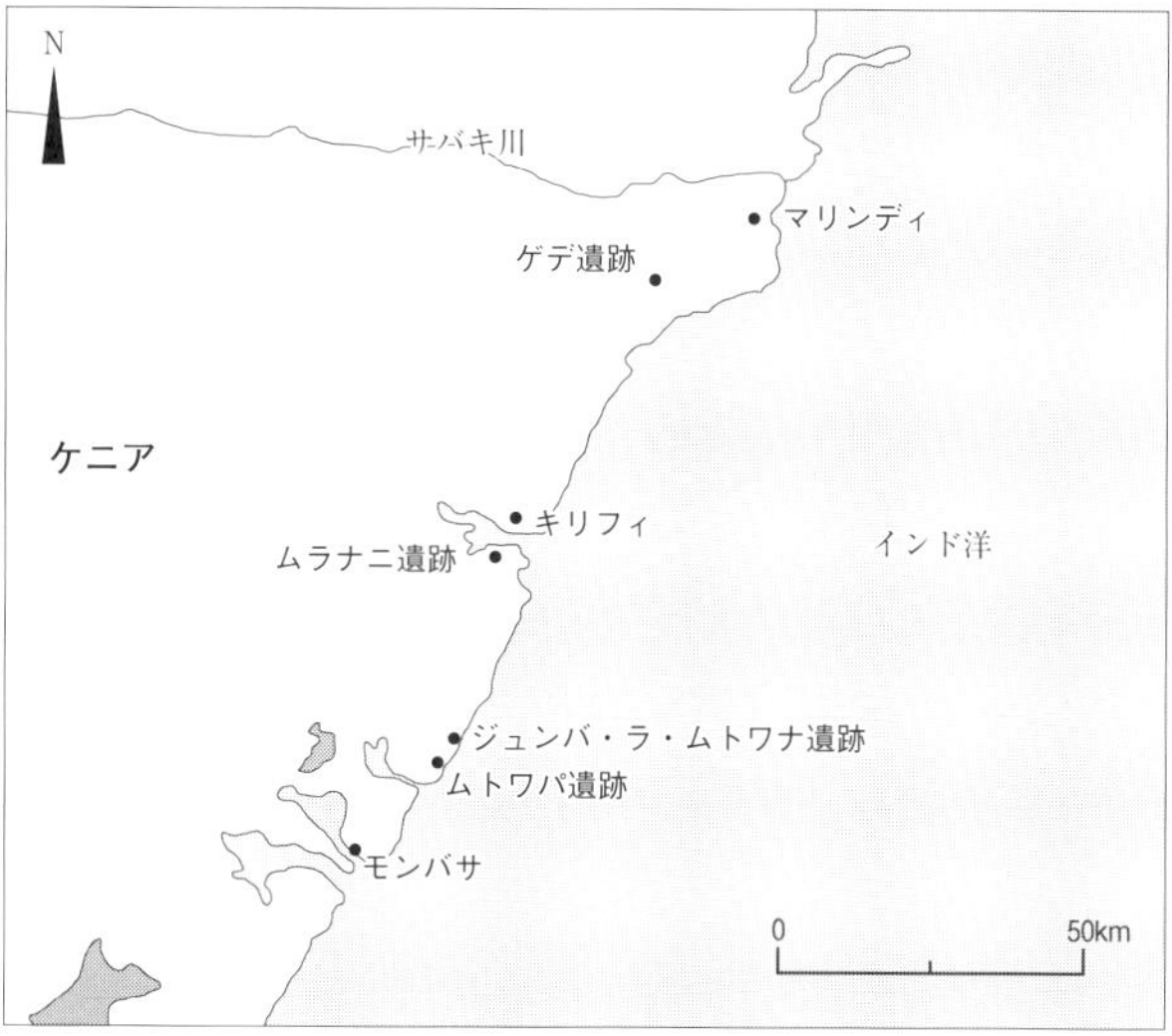

ケニア沿岸地域の地図

マリンディのヴァスコ・ダ・ガマ・クロス

た場所からは移転しているという。またポルトガル時代の遺跡としては、古い質素な教会がある。門扉が閉まっていたので確認はできなかったが、実際に現在使われている気配はあまりない。門外にある説明文によれば、一五四二年フランシスコ・ザビエルがインドのゴアに赴く途中で、亡くなった水夫二人を葬ったとある。中国、日本への途上の出来事だ。

マリンディには意外とイスラームの遺跡が少ない。確かにモスクの数は多いし、元奴隷市場が開かれていたというジャミア・モスクなども存在する。しかし、イスラームの町の雰囲気は希薄である。それはビーチリゾート化が進んでいるからだろうか？　私たちが訪れた六月末はオフシーズンで、閉まっているリゾートもあったし、白人の姿も多くはなかったが、ヴァスコ・ダ・ガマ・クロスの周辺の海岸沿いの豪華な家には、退職後のイタリア人が住んでいる例も多いらしい。

あるいは歴史的に見ると、町としての連続性がないからかもしれない。マリンディの町の起源は、依然はっきり分かっていないようだ。九世紀ころから存在していたのかどうか。一五世紀に明の鄭和の数回に及ぶインド洋遠征のなかで、その分遣隊がマリンディを訪れて、キリンを持ち帰ったことは確実なようだが。モンバサとの絶え間のない抗争もあった。モンバサに対抗して、ポルトガルと組んで、そのポルトガルが一六世紀末には拠点を、スルタンごとモンバサに移してしまった。一七世紀半ばから一九世紀半ばの間は低迷する。特に一七世紀後半、ソマリア南部からやってきたガラ人の攻撃・略奪を受け、ほとんど廃墟になってしまったらしい。一九世紀後半に、奴隷貿易、あるいは奴隷労働による農園によって生産された食料の輸出港として復活することになる。しかし、海も遠浅で、現代の港として発展する余地はないように見える。

海岸通りに古い民家を改造したマリンディ博物館がある。歴史だけではなく、民俗的な展示もしてあるのだが、入ってまず目につくのが、シーラカンスの模製標本と説明だった。タンザニアのタンガ沖で、シーラカンスが三〇尾以上網にかかって大騒ぎになったのは二〇〇三年だが、このマリンディ沖でシーラカンスが見つかったのは二〇〇一年だったたと思う。サファリ（旅行）の後、「業界」の人にこのことを報告したら、マリンディ沖のシーラカンスは、発見されたものとしては最北限として有名なんだそうだ。しかし、調査はちゃんとされていないのだろう。その標本の展示と共にある説明は、一九三八年に南アで最初にシーラカンスが「発見」された話がほとんどだった。

マリンディのオールドタウン

一九世紀以降に成立したと思われる、マリンディのオールドタウンがある。区画としては狭いし、モンバサやザンジバルのように、曲がりくねった小路や、バルコニーをもった三階建て以上の建物が多いわけではない。ただ、ブイブイ（アバヤ）を着た女たちが通り過ぎたり、バラザ（編者注：玄関扉脇の常設ベンチ）で寛いでいる男たち、道で走り回る子どもたちを見かけると、あぁ……スワヒリの町だなという雰囲気はある。観光ガイドではない、イスラームの帽子（コフィア）と服（カンズ）をまとった地元のおじさんが、「ここがマリンディの町の起源だ」と通りすがりの私たちに強調してくれた。町中の店の看板に「KONBUCHA」という表示があってびっくりしたが、確認はしなかった。

ただ、スワヒリ風の町並みは本当に一角に限られていて、厚みはない。観光客が行くほとんどの場所には、自称ガイドたちがいて、マリンディ博物館でも、ゲデ遺跡でも、ジュンバ・ラ・ムトワナ遺跡でも、専属のようなガイドがいた。彼らは訓練されていて、それなりに知識は豊富なのだが、その土地の文化とか習俗にはそれほど詳しくないように感じた。名前を尋ねるとクリスチャンだし、出身を訊くと内陸部の出身が多かった。ムスリムである地元出身のガイドとは、今回は巡り合わなかった。パキスタンのガンダーラ地方やアフガニスタンのバーミヤンの仏教遺跡で、あるいはエジプトのルクソールやアブシンベル遺跡でムスリムのガイドから説明を聞いた時に何とはなく感じた違和感を思い出す。つまり、観光地で、職業、食事の種としてのガイドには、その遺跡を作り上げた人びとの思い、宗教心や暮らしぶりに対する共感とか想像力が欠けているのではないかと疑ってしまうのだ。

マリンディから南のモンバサまで約一二〇キロメートルである。その海岸沿いにいくつかの遺跡がある。一三〜一九世紀の間の、いわゆるスワヒリ都市国家の遺跡である。そのなかでも最大といわれるゲデ（Gede あるいはゲディ Gedi とも表記される）遺跡は、マリンディの南方十数キロメートルくらいの、少し海岸から離れた場所にある。文献史料にもあまり触れられていないし、発掘されたのが比較的新

ゲデ遺跡

しかった（二〇世紀半ば）ということもあり、「東アフリカのアンコールワット」なんて報道をされたこともあったようだが、そんなに大きくはない。私は三五年前には知らずに通り過ぎてしまったので、今回が初めてになる。

ガイドブックによれば、ゲデの起源は一三世紀末か一四世紀初め。一三九九年という年代の入った柱がある。マリンディの町の分派活動だという説もあるが、不確かなようだ。全盛期は一五世紀半ばだろうと思われ、かなり大規模な都市だったとされる。しかし、一六世紀に入り、ポルトガル登場後のマリンディとモンバサとの抗争に巻き込まれ、略奪を受け、無人化したらしい。一六世紀末に再定住がおこなわれたようだが、一七世紀のガラ人の南下により、再度放棄されて廃墟になった。

女性のガイドの案内で、遺跡の中を回る。長いこと放置されていただけあって、バオバブなどの大樹、老木が鬱蒼と茂り、心地よい木漏れ陽を処処に作り出している。サイクス・モンキーの群れが渡り、サイチョウが鳴いている。遺跡の区域はかなり広い（ガイドブックには四五エーカー［約〇・二平方キロメートル］となっている）。

内壁と外壁があり、内壁の中には支配階級が居住していたのだろう。大モスク以下、いくつかのモスクがあり、スルタン一家が住んでいた宮殿部分がある。キルワ・キシワニのフスニ・クブワ（編者注：大城砦）を小規模にした感じである。近くの大樹に、子どもたちの奨学金を出すためにＮＧＯが作ったという展望台が作られており、曲がりくねった階段を上ると、遺跡を俯瞰することができる。

ゲデの遺跡を凌駕するのは、規模的にいうとキルワ・キシワニ遺跡くらいしかないかもしれない。まだ今後の発掘を見ないと分からない部分もあるが、文献的にもこれ以上大きな都市は存在していなかったと思われる。キルワ遺跡を見ても、あるいは今回のゲデ遺跡を見ても、当時、この区域に一万人くらいの人口を擁し、イブン・バットゥータに「諸都市のなかでも美しく整えられた町の一つ」と称された町の有様がなかなか浮かんでこない。それはアラブの血をひいた人びとの文化、暮らしをよく知らないことともに、後背地であったアフリカ大陸の海岸部に住んでいた人たちの姿がまだおぼろげだということだろう。

ゲデの遺跡から、キリフィの町まで五〇キロメートルほどであるが、その途中、山側（南下する場合は右側）、ある時は海側の左右に延々と二〇キロメートルくらいサイザル農園が続く。タンザニアでもサイザル農園は広大なものが多いが、ここは非常に広大だ。運転手に訊くと、「ナイロビのウィルソン空港のオーナーのものだ」という。たった一人の白人の持ち物なのか？　本当だとしたら、呆れるばかりだ。ケニアではジンバブウェで起きたような、白人農園の占拠事件、つまりそれは「植民地の負の遺産の精算」という発想なのだが、それは起きなかったのか？

このキリフィからモンバサへ南下する幹線道路の海側には、びっしりとビーチリゾートが並んでいる。超高級から一般的なところまで多様なのだろうけど、ほとんどが高級そうに見え、一般のケニア人が泳ぐ公共のビーチとか、漁師が出帆する区域は残っているのだろうかと心配になる。遺跡には興味がなかった運転手は、このホテルは誰それの持ち物という風に教えてくれる。ケニア独立以来の指導者、政府高官の名前がいくつも挙がる。民衆の風評というものは、必ずしも正確ではないだろうが、それにしても典型的な新植民地主義的状況のように思える。

一九六七年のアルーシャ宣言から社会主義路線をたどったタンザニアと違い、ケニアは独立後から典型的な資本主義的発展、欧米の外資の導入をベースとしたそれを選択した。タンザニアの貧しくとも、民衆の教育の重視と格差の少ない社会を目指すニエレレの理念に惹かれて、私はタンザニアに住み着き、平和な生活のなかでの、ゆっくりでも着実な発展を期待していた。今、タンザニアは毎日の計画停電で、製造業に大きな負担をかけつつ、民衆の生活にも困難を来している。私たちの運転手にタンザニアの計画停電のことを言うと、「ケニアは進んでいるから、そんなことは起きない。起きたら、国中が黙っていない」という答えだった。「ケニアの方が進んでいる」という信仰は措くとしても、タンザニアで今起こっている電力問題は明らかに人災だろうし、タンザニアの民衆はおとなしすぎるのではないか、もっと責任を追及すべきなのではないかと感じる。野党の議員が追及しているが、さて、それで数人の政治家が責任をとって辞職するのはいいとして、解決する処方箋、行程が見えてこないというのは、日本の原発問題と同じだろうか。

ゲデから南下し、キリフィという町の入り江の橋を渡ったところに、ムナラニ遺跡がある。比較的新しく発掘された遺跡で、地図によっては載っていないし、土地の人たちにもあまり知られていないようだ。幹線道路に大きなケニア博物館協会（NMK）の看板が出ていたので、その矢印に沿って脇道に入ったのだが、見つからない。小さな町になっていて、道行く明らかに地元の人複数に訊いても、分からないのだ。実はその遺跡のすぐ隣にヘビ園があり、そっちの方が有名で、そちらを尋ねてやっとたどりつけた。

ムナラニ遺跡も、鬱蒼と茂った林の中にあり、近在の人びとの信仰の対象であるバオバブの巨木があり、その洞の中にお供えをするという。この近在の人たちはムスリムのはずだが、イスラーム信仰と祖先崇拝のようなものを、どう共存させているのだろうか？　ムナラニ遺跡そのものはまだ発掘があまり進んでおらず、全容は分かっていない。ただ、その名前の元であるムナラ（柱塔）は立派なものである。一三～一六世紀の都市国家遺跡と言われたが、海から入り江の突端に立つこの柱塔を、いわば灯台のように目標にして、航海してきたのだろうか。ただここの柱塔は時代は新しいように感じた。

案内してくれたのは、実は遺跡の管理人ではなく、ヘビ園の方の管理人だった。遺跡の管理人の方は「昼食に行っているんだろう」ということだったが、一時間経っても帰ってこなかった。おそらく

ムナラニ遺跡

滅多に来ない訪問客を待っていることはあまりないのではないかと想像させる。私たちの運転手は遺跡よりもヘビ園の方を楽しんでいた。

一九七六年の思い出である。モンバサからマリンディへ向かうバスに乗った私は、キリフィの入り江でフェリーに乗った。バスや車も乗せるフェリーである。もし私の記憶に誤りがなければ、そのフェリーは手動式だった。両岸に綱を張り、その綱を乗客たちが引っ張って移動する方式のやつである（タンザニアでもバガモヨから北へワミ川を渡るフェリーがかつてそうだった）。さすがにそれは古い話で、一九八〇年代には日本の援助で立派な橋が架けられた。現在も使われている。しかし、橋梁のどこかにひびが入っているらしく、近い内に建設した日本企業が架けなおすという。その際には、また臨時のフェリーが使われるはずだと、そのヘビ園の管理人は言うが、どうだろうか？　仮設橋になるのじゃないかなと、昔フェリーで渡った旧道を上から眺めながら思った。

ムナラニ遺跡から南下し、ジュンバ・ラ・ムトワナ遺跡を目指す。運転手はもちろん知らない。街道にある看板を見つけ、そこから三キロメートルというのを頼りにラフロードに入る。たどり着くと、ムナラニ遺跡よりは発掘された区域が広く、小さな展示室も、管理人もガイドもいた。ゲデのように鬱蒼とした樹木の中に、遺跡を囲む外壁が続いている。モスク跡、住居跡、柱塔跡などが広がっている。ここの特色は、本当に浜辺まで遺跡が広がっていて、大モスクは浜辺にあるということだ。したがって、保存状態もいいとはいえない。

ジュンバ・ラ・ムトワナ遺跡は、モンバサのすぐ北のムトワパという町にある。そこで混乱したのだが、ムトワパ遺跡というのもあるようだ。今回は、ジュンバ・ラ・ムトワナ遺跡の方にしか行かなかったから、未確認ではあるが、地図で見ると、ジュンバ・ラ・ムトワナ遺跡のすぐそばにある。

モンバサの街に近づくと交通渋滞が始まる。長距離トラック、マタトゥ（近距離バス）、トゥクトゥク（三輪タクシー）が騒音、煤煙をまき散らかしながら走っている。最後には、泊まるホテルの直前の渋滞で、私たちの乗っていた車がトゥクトゥクにこすられて止まった。都会に帰ってきたということである。

参考文献

James Kirkman, 1975. *Gedi*, National Museum of Kenya.

Heman Kiriama, Marie-Pierre Ballarin, Jimbi Katana & Patrick Abungu, 2008. *Discovering the Kenyan Coast*, National Museum of Kenya.

Esmond Bradley Martin, 1970/2009. *Malindi, Past and Present*, National Museum of Kenya.

Ahmed Idha Salim, 1973. *The Swahili-Speaking Peoples of Kenya's Coast 1895-1965*, East African Publishing House.

高橋英彦『東アフリカ歴史紀行』（ＮＨＫブックス、一九八六年）。

第5話 モンバサのオールドタウン

二〇一一年一〇月一日

［第4話の続き］翌朝は、まっすぐフォート・ジーザスを目指した。泊まったホテルから一本道である。途中で、トレジャリー・スクウェアという政府関係の役所の集まった広場を通る。のんびり歩いていると制服を着た男が近寄ってくる。「ここら辺は政府の役所だから、写真を撮ったら六ヵ月の投獄だ」と脅した後、「オールドタウンは治安が悪く、カメラをひったくる事件が多いから、ガイドを雇え」と言う。適当に相手していると、道路を横断したところに、オールドタウンの散策地図があり、そこに若い男が立っていて、私たちにガイドを始めようとする。さすがに腹が立って、語気強くお断りした。

フォート・ジーザスは、モンバサに来るたびに寄っているから、今回で四回目になると思う。その都度、きれいに整備されているように感じるのは、気のせいだろうか？ 今回は初めての訪問になる娘の興味に従う。

フォート・ジーザスは、一五九一年にモンバサを占領したポルトガルが、一五九三〜九六年に建造した。その後、約一〇〇年間、ポルトガルの東アフリカの根拠地として、インドのゴアとモザンビークを結ぶ中継地点として存在した。一六九六年から三三ヵ月ものオマーン・アラブの包囲の末、陥落する。三三ヵ月の包囲を受けていた方の思いはどうだったろうか？　食料も弾薬も尽き果て、ゴアからやってくるはずの救援の船が水平線に姿を見せるのをじっと待っていたのだろうか？　ある部屋に描かれている稚拙にも思える船などの絵は、ポルトガルの守備兵の無聊の作品だろう。

フォート・ジーザスを出て、地図を片手に歩き出す。マリンディで入手した『Discovering the Kenyan Coast』の中に入っているオールドタウンの地図が非常によくできていて、主要な建物、バルコニー、扉などはおろか、カフェ、レストランなどの場所も書き込まれている。また観光用に、一時間、一時間半、二時間半の散策コースが策定されていて、それぞれ緑、青、赤で地図に記入されており、さらに街中の角の建物には、それぞれのマークが記されているから、迷いにくい（この地図の作成者は日本人のようだ。だから、見やすかったのかも）。

ガイドなしでムバラク・ヒナウイ・ロードを歩き出す。旧アフリカ・ホテルなどの古い建物、マンズリー・モスクなどを見ながら、政府広場に着く。旧郵便局や、バガモヨから移住しモンバサの商業の大立者となったイスマイリーの商人の倉庫跡などを眺める。マイクロバス三台に分乗した白人たちの観光客がやって来て、すぐ立ち去る。広場は海に面していて、旧港（オールドポート）があるのだが、観光客は入ろうとしない。二〇〇〇年以上に及ぶインド洋西海域の交易に重要な役割を果たし、今も現役の重要な場所なのに……。そういう感想をもらしたら、「そんなもの興味がなければ見ないわよ。

大したものはないし」と妻に一蹴される。

たしかにその日、波止場に係留されていた船は、一隻のみ。貨物が動いていないから、ポーターもいない。港の役人も新聞を読んでいたり、居眠りしている、気だるい忘れ去られたような場所だった。

旧港の近くに、レヴンハウスという建物がある。元は一八二〇年代、奴隷貿易の取締りのための英国海軍の将校の根拠地だったらしい。その後、キリスト教の宣教師（クラフ、レブマン）や探検家（バートン、スピーク）が泊まったり、イギリスやドイツの領事館が置かれたり、変遷をうけるが、一九九七年ケニア博物館に買い上げられた。その後、補修作業が進み、現在は美しく塗られ、屋外レストランになっている。三階では宿泊も可能らしい。

このレヴンハウスから海辺に下りる階段があり、そこに小舟が何艘か係留されている。今回は海側からフォート・ジーザスを見てみたいと思っていたので、下りていって、そこにいるアラブ系の青年に尋ねてみると「できるよ」という返事。海辺の井戸から真水を浴びていた青年に、ナホーダ（ダウ船の船長）との交渉を頼む。三〇〇〇シリングという回答で、高いなと思って断る。けれど、海からフォート・ジーザスを見たい気持ちは捨て切れない。それを読んだ若者は「俺の船なら」と言い出し、二〇〇〇シリングで折り合う。

さて、若者（イッサ）が持ってきた船は、彼が示した彼らの船（ダウ船）ではなく、その上陸用の手漕ぎボートであった。妻と娘は難色を示すが、私は意気揚々と乗り込む。漕ぎ手は三人で、左右一人ずつ漕いで、一人は休んで交替する。往きは、潮流が逆で、なかなか進まない。漕ぎ手のどちらか

モンバサのオールドタウンの街並みとマンズリー・モスク

モンバサの旧港（オールドポート）

が疲れてサボると、方向が変わってしまう。イッサは船頭気取りで、私たちに説明しようとするから、手がおろそかになり、他の漕ぎ手から文句が出て、口論になる。

小さなボートで、バランスに気をつけないと転覆しそうな不安定さで、写真を撮っている妻は一苦労。それでも頑張る漕ぎ手のおかげで、レヴンハウスから出航し、ボホラ派のモスク、旧港を過ぎ、モンバサ・クラブで遊ぶ白人、インド人の姿が見えてきて、フォート・ジーザスまでたどりつく。ここを包囲していたオマーン・アラブはどこから攻め入ったのだろうか。復路は潮流に乗ってすんなり帰ってきた。

普段は漁師で、タンザニアのペンバ島の沖まで出漁する彼らの主要な獲物はマグロとサメらしい。マグロはすぐに高く売れるけど、サメは買い手をみつけるのがホネらしい。私たちにルートを探してくれというけど、「中国人ならフカヒレだけど、日本人には無理だ」と断る。サメの皮を剥いで、干物にしようとしている光景が広がっている。お愛想で、来年企んでいるモンバサ↓ペンバ↓ザンジバルのダウ船の旅を、彼らにできないかと訊いてみる。彼らはもちろん「できる」と答える。彼らのダウ船を見せてもらうと、なかなか立派なものだが、漁船なので基本はエンジンを使い、帆走はあくまでも補助的な手段のようだ。その分、安全とはいえるけど、「ダウ船の旅」を標榜するには、看板に偽りありといわれそうだ。それに、普段外国人の船客を乗せたことがない彼らには、出入国の手続きや、ソマリア人の海賊対策など、困難な問題が多いだろう。

陽気な船乗りたちと別れ、最初に舟のことを尋ねたアラブ系の青年ムッサと一緒に、オールドタウ

海から見たフォート・ジーザスとモンバサ・クラブ

モンバサのオールドタウンの街並み

ンの散策を続ける。私たちだけだったら、地図に書いてある散策コースをたどり、名前のある道路からは逸れないのだが、ムッサはひょいと角を曲がり、小路に入り、親戚や友人とおしゃべりをし、その合間に古い建物や、ドア、バルコニーを見せてくれる。だんだん、方向感覚を失っていく。

市場に向かって歩く。人通りがどんどん増えて、ブイブイ（アバヤ）を被った女たちや、カンズを着た男たちの横を、トゥクトゥクが走り抜けていく。妻と娘は香辛料の店に入って、しばらく時間を取られる。ザンジバルでもめったに見ない（多くはスペインあたりからの輸入品）ケニア産のサフランを見つけるが、高いので買うのは断念。その店にいた男が、何となく私たちについてきて、自分の店に来いとどんどん細かい曲がりくねった道に入っていく。彼は、私にカンズとキコイ（腰巻）とキレンバ（ターバン）といったムスリムの衣服を売りつけたかったのだ。私はその日、コフィアだけ被っているという中途半端ないんちきムスリムの格好をしていたからだろう。高いと思ったが、以前から欲しいと思っていたので、旅先の軽い気分に乗せられ、カンズとキコイを購入する。この格好でお酒を飲むわけにはいかないし、ラマダンに久しぶりに断食するかなという気持ちがちらっとだけする。

最後に街中の食堂で、スワヒリ料理ビリヤニを食べる。バルカ・レストラン。いくつもの料理が並べられ、お客は自分の好きな料理を言って、皿によそってもらう。ピラウもビリヤニも野菜料理も数種類ずつある。私はエビのビリヤニと野菜を頼む。放っておくと、大盛りによそってくれる。ジュースも何種類かあり、勝手に選んで入れてくる。普通は全部取り終わったら、会計で支払うのだが、ここはどんどん勝手に食べだす。どうやったら会計できるのかなと思ったら、そのうちメモをもったおじさんがやってきて、食べているものをチェックし、金額を書いて置いていく。慣れている顔見知りにはいいいんだろうけど。

翌朝もムッサとフォート・ジーザスで待ち合わせ、オールドタウンの散策を再開する。ムッサには、興味があるのは、バルコニー、扉、古い建物、モスクなどで、ショッピングには興味ないと伝える。フォート・ジーザスの向かいにあるマズルイ家の墓地から、ンディア・クー（大通り）に入る。

ムッサも承知して、バルコニーのある古い建物、扉を紹介してくれる。一〇〇年前とか、二〇〇年以上前というふうに。確かにかなり風雨に晒された古い建物に、まだまだ多くの人が住んでいる。モンバサ・ハウスだったかは、売りに出されていた。古い建物も改築されるのだが、保存条例によって、元のデザイン通りに再建しないといけない。サンゴはもう使えないから建材は変わるが。

モンバサのオールドタウンの街並み
賑やかな市場

ムッサに言わせると、多くのソマリ人が古い建物を買い取っているという。海賊の身代金で稼いだ金で、ソマリ人のボスたちは投資をしているのだろうかと、ふと思う。そう言われると、マッキノン市場から、ニュータウンに向かう商店街に、明らかにソマリ人の多い一角があった。商店主も荷物を運んでいる若者にも、ソマリ人風の顔立ちが多かった。

ムッサは一一人兄弟姉妹の六番目だそうだ。父親は洋服屋。イタリアにいたこともあり、オールドタウンの中で紳士服（スーツ）を主に作っていたが、インド人の競争相手の嫌がらせを受け、免許を奪われたりした。今は、モンバサ島の外（大陸側）のビーチリゾートの近くで、主に婦人服を縫っているという。ムッサは、後を継ごうとケニヤッタ大学のモンバサ・キャンパスで、洋服の縫製を習ったという。果たして、学部課程かどうかは訊かなかった。

父親の仕事も手伝うが、船乗りを手伝ったり、観光ガイドもやるという。細かい年代などを知っているので、やはり一度観光ガイドの訓練を受けたことがあるのかも知れない。船乗りとしては、イエメンまで行ったことがあるという。昨日見たサメの干したものなどを持っていった。帰りにソマリアの海賊に捕まったが、デーツとか、金目にならないものしか積んでいないので、海賊はデーツを少し奪って「しようがないなぁ。しゃべるなよ」と解放してくれたという。どこまでが本当の話なのか、あるいは友人から聞いた話なのか？

オールドタウンの中を歩いていて、母方の大叔母というのに捉まった。「しばらく顔を出さないねぇ……。まだ独り者やってんの？　もういい歳なんだから、早く身を固めないといけないよ」というお説教をくらい、「わかった、わかった。そんなら嫁さん紹介してくれよ」と言って別れた。でも、後で聞くと、二六歳で、結婚しており、七歳五歳三歳の子どもがいるという。どこまでが本当なのか、変幻自在である。いい加減ではなく真面目そうな青年なのだが、一見の外国人に本当のことをしゃべる必要はなく、相手を楽しませればいい、とでもいうように。

オールドタウンを歩いていて強く思ったのは、ザンジバルのストーンタウンとの共通点、そして違いである。つまり、ザンジバル革命がなかったらどうだったのだろうかという想像である。

歴史に「もし」は不要だが、モンバサのオールドタウンは、インド人の商店主は多いし、アラブ系、スワヒリ系の顔立ちの人びと、姿は圧倒的である。もちろん、アフリカ系の人びとも多いのだが、その多くが肉体労働者のようで、町人としてはあまり目立たないのだ。

ザンジバルでは革命で、タウンの中にいたアラブ系の人たちは多くが殺されたり、亡命したりしていなくなった。インド系の人たちは商売の混乱を嫌って、移住した。その空白に革命の勝利者である本土のアフリカ系の人たちが入り込んできた。「アフリカ大陸はアフリカ人のもの」というスローガンで、それが正当化された。

しかし、インド洋西海域の歴史を振り返ると、キルワ、ザンジバル、モンバサ、ラムといった島々、そしてモガディシオ、マリンディ、パンガニ、バガモヨといった海岸の港町にとっては、必ずしもそうではなかったのではないか。海を越えて渡ってくる人びとと、内陸から遠距離のキャラバンで出てくる人たちとの出会い、交易の場であったはずだ。特に島嶼部が、海外から短期、長期でやってきて滞留する人たちの安全な隠れ場でもあったはずだ。一九世紀になるとそこにさまざまな顔の人が住み、さまざまな文化、宗教が見られた。モンバサ・オールドタウンや革命前のザンジバル・ストーンタウンはコスモポリタン的な世界だったはずだ。

「コスモポリタンな世界」を懐旧的に美化しているのではない。そこにはアフリカ大陸の内部から暴力的に、あるいは借金の質として連れてこられた奴隷とその末裔もいたし、現在のモンバサでもその姿がまったく消え去っているわけではないのかもしれない。つまり、それがコスモポリタン的な社会の一側面だったのだろう。そして、それは現在急激な勢いで進行中のグローバリゼーションの一側面をも暗示しているのではないか。わずか二日間のオールドタウン散策で何が言えるものでもないが、革命前のザンジバルのストーンタウンの香りを感じたと思う。歴史は移ろいゆくものなのだ。

まだ、ケニアの北部スワヒリ海岸（ラム群島）が残っているというのを意識しながら、今回のサファリを終えた（ソマリア南部国境と近いけど、来年は行けるのだろうか？）。

参考文献

Ali Abdulswamad, Omar Kassim & Sébastien Moriset, 2009. *Vielle ville de Mombasa*, CRAterre.
Hermar Kiriama, Marie-Pierre Ballarin, Jimbi Katana & Patrick Abungu, 2008. *Discovering the Kenyan Coast*, National Museum of Kenya.
James Kirkman, 1981. *Fort Jesus, Mombasa*, National Museum of Kenya.
Ahmed Idha Salim, 1973. *Swahili-Speaking Peoples of Kenya's Coast 1895-1965*, East African Publishing House.

第6話　パンガニ

二〇〇七年五月一日

今年のダルエスサラームの大雨季の雨量は多いようだ。年末年始の小雨季からあまり途切れず、一～二月は例年小乾季になるのだが、空模様が重たいまま大雨季に突入した。三月中もよく降り、四月上旬のイースター休暇の際は少し止まったが、またその後かなり強い雨が続いている。昨年の大雨季は雨量が少なく、雨季明けの六月からすぐ計画停電が始まりショックだったが、今年はそういうことはない（少なくとも雨が少なかったからという言い訳はできない）状況なのは嬉しい。もっとも農作物への影響はそんなに単純ではなく、長雨で困るものもあるのだろう、野菜の値段は下がらない。

大雨季の最中、パンガニに出かけた。タンガの南五〇キロメートルにあるパンガニは、ビーチリゾートとして発展しつつあり、ビーチには二回行ったことがあったが、パンガニの町自体に行くのは初めてだ。スワヒリ都市としては存在が比較的薄いせいもあるが、念願を果たした気分だった。

ダルエスサラームを朝七時に出発する。朝小雨がぱらついたが、その後は天候に恵まれた。途中で人を拾ったり、セゲラというモシ、アルーシャへの分岐点で休憩したが、一二時前にはタンガに着いてしまう。順調な旅。タンガの老舗ムコンゲ・ホテルでは大勢の会議をやっていて、食事はやや難点があった。その後、パンガニに向かって南下する。今回はタンガ～パンガニ間の漁村の調査という目的があり、街道から中に入ったり出たり。途中でトンゴニという遺跡の看板を見かけるが、帰りに寄ろうと先を急いだ。結果復路は別の道を抜けたので、トンゴニには寄らず仕舞い。バガモヨでいえばカオレ遺跡のような小さな一四～一五世紀の都市国家の遺跡で、モスク跡などが残っているはずだ。

パンガニの町は小さく静かで活気がない。訊くと町自体にはわずか四〇〇〇人くらいしかいないという。二〇〇二年の国勢調査では約八〇〇〇人であるから、そうは急激に減らないとは思う。今回の漁村調査の対象であったパンガニの北二〇キロメートルにあるキゴンベ村はなかなか活気があり人口一万人といい、国勢調査の五六〇〇人より増えているようである。これは彼我の町と村との勢いの差なのだと思う。

パンガニの町はパンガニ川の河口の両側に開けた町である。中心は川の北岸にあり、現在のタンガ州パンガニ県の県庁所在地である。パンガニ県単独で国会議員を選出する選挙区を構成し、県庁には国会議員の部屋もある。ただし、県全体でも人口は五万人程度だろう。

現存するパンガニの町は、一九世紀初めにしか遡らない。一八一〇年にアラブ人によって作られた屋敷が、ドイツ植民地時代の役所（ボマ）となり、そして現在の県庁になっている。入り口の扉にはザンジバル・ドアのように、文様とコーランの言葉が刻まれている。二階以上はドイツ人の建て増しだそうだが、一階の一二本の柱はアラブ人によって作られた。ガイドに言わせると、「一本一本に奴

パンガニの古い建物

パンガニのボマ

パンガニ川と南岸

隷を埋め込んだから、二〇〇年経った今でもひび割れすらしない」とのこと。到底真実とは思えないのだが。

県庁のすぐ先にパンガニ川の渡し場（フェリー）があり、その河口寄りに波止場がある。波止場といってもダウ船が三隻も停まればいっぱいのようだ。波止場には倉庫があり、主要商品であるココヤシが積まれており、トラックが出入りして下ろしたり積み込んだりしている。倉庫の隣は昔は郵便局、その隣はモスク。逆の隣には元奴隷収容所と呼ばれる古い建物が崩れ落ちそうに立っていた。

波止場から中に一筋入ると、旧奴隷市場跡と言われる空き地があり、そこに一九六一年一二月九日の日付（つまりタンガニーカ独立の日）を刻んだ演台があり、隷従からの自由を記念するために、この場所を空き地にしておくように決め

パンガニの波止場

パンガニの元奴隷収容所

られたという。サッカーグランドを取るにはやや狭い感じだが、サッカーのゴールの枠組みは一つ立っていた。

さらに中に入ると、一階部分が店、二階が住居部分になっているバルコニー付きの古い建物や、元ホテルだった建物が、今は使われないまま残っている。インディア・ストリートと呼ばれていた商店街にも今はインド人はいない。皆、タンガかダルエスサラームへ移動してしまったのだろう。バガモヨをさらに小さく寂れさせた感じである。

パンガニを支えた産業は、一九世紀は奴隷貿易だったようだ。ドイツの植民地時代の初期に、抵抗者として立ったアラブ人のアブシリはパンガニを根拠地とした奴隷貿易業者だったとされる。「文化観光」というプログラムも始まっており、外国人旅行者に一時間半ほど歩きながらその歴史を説明している。ザンジバルやバガモヨでもそうだが、アラブ人＝奴隷貿易業者というステレオタイプの説明がまかり通っているのが気になったが。

その後は、近隣の産業を見て回った。ココヤシ、そしてサイザル麻のプランテーション、漁業が主力で、農業はキャッサバ、イネを含め自給的な産業に過ぎない。パンガニ川の河口近くには、インド洋から海水が満潮時には遡るから、マングローブの林ができている。県庁の近くの川沿いには、ヤシガニを養殖販売するプロジェクトも始まっていた。

現在のパンガニはというとビーチリゾートとして発展しつつある。北岸にも南岸にもそれぞれ数軒のビーチリゾートが並んでいる。オーナーはタンザニア生まれで紅茶のプランテーションをいくつか周り、また南ア生活も長かったイギリス人一家とか、元デンマークのボランティアでアフリカ生活の長い夫とそのアメリカ人の妻とか白人が多く、あるいはタンガ、アルーシャ在住のインド人などである。ドイツ人の若いカップルは、二年間ドイツと往復しながらお金を貯めて、ダイビングセンター兼簡素なビーチバンガローをこの夏から始めると張り切っていた。世界で知られざるビーチリゾートのベスト一〇に入る、と豪語していた。「知られざる」というのがみそだろう。キルワでもそうだったが、タンザニアでビーチリゾートを経営する個人(ザンジバルには大資本が入っているが)は、ヨーロッパ人でアフリカ生活の長い年配者が多いと思っていたが、このドイツ人カップルのように半年はドイツで働いて金を貯め、残りの半年でリゾート建設しようという発想はどこから来ているのだろうか。

ヨーロッパ人経営者は、海岸の環境を守ることに関心が強い。パンガニ川の河口の沖にあるウミガメの産卵地であるマジウェ島が次第に海水面下に沈下するようになり、砂州と化しつつある。産卵に帰ってくるウミガメが卵を産みつけても、海水に覆われるために卵が腐って孵化しない。ヨーロッパ人たちはその島を守るための植林などの提案をしているが、タンザニアの州政府の反応が鈍いとこぼしていた。タンザニア州政府の役人たちは、産みつけられたウミガメの卵を、海水に覆われないより高い場所に動かす努力をしているようだ。その場合、孵ったウミガメが長い年月を経て戻ってくる場所の記憶はどうなるのだろうか？　私には全くわからない。

タンガとパンガニの沖合の海には、「泳ぐ化石」と呼ばれるシーラカンスが二〇〇四年から漁網にかかるようになってきた。州政府に報告されているだけで、二年間で三〇尾以上獲れている。報告されずに食べられているものも多いだろうから、かなりの数が漁獲されているようだ。これは突然獲れるようになったわけではなく、漁法の変化、特に網を深く入れるようになったからしいが、七〇～一五〇メートルの深さで獲れるらしい。獲れるということで乱獲してしまえば、あっという間に資源はなくなるのか、あるいはかなり豊富な資源なのか、調査は始まったばかりである。ただ、豊かな環境を守ってきたからこそ獲れるのだろうから、むやみに脚光を浴びない方がいいのかもしれないと思ったりもする。同じように泳ぐ化石が見つかったインドネシアの海では、闇の業者がもう動いているという。

観光という外部の人間を連れてくる産業が始まると所詮環境は変化する。多くの場合は悪化するものなのかもしれない。マハレやゴンベのチンパンジーやルワンダのゴリラなども、研究者の聖域であった時代はともかく、人類の遺産として公開しようとすると、そして保護のために地元の人間に利益をもたらそうとすると、「コントロールされた観光」という命題が起きてくる。世界中どこにでもある課題なのだろうが、本当に素晴らしい場所は他人には教えないのがいいのだろうかと旅行業者らしからぬ思いを持つことになる。

第7話 サダニからタンガ

二〇〇七年一一月三日

一〇月半ば、タンガからパンガニ経由でサダニまで走った。これでダルエスサラームから北のスワヒリ海岸はケニアのモンバサ～マリンディ～ラムまで完走・制覇したことになる。制覇というとおどろおどろしい感じだが、サダニからパンガニまでは乾季でないと走れない悪路で、なかなか通る機会がないのだ。タンザニアを訪れて三二年目にしての初の踏破という個人的な感傷である。

ダルエスサラームからタンガまでは通常のルートで三五〇キロメートルという。ダルエスサラームから西へモロゴロ、イリンガ、ムベヤへつながる国道をチャリンゼまで約一一〇キロメートル。そこで分かれて北上してモシ、アルーシャへ向かう道に入り約一七〇キロメートル、分岐点であるセゲラに着く。そこから北東へ七〇キロメートルほど走るとタンガに至る。全て舗装されていて、快適な五時間弱のドライブである。

前回行ったのは一九八七年一〇月のことだったと思う。今からちょうど二〇年前になる。当時働いていたダルエスサラーム日本語補習校の先生二人＋《プラス》夫人一人と、ダルエスサラームからバガモヨ経由でサダニを目指した。補習校の生徒のキャンプ候補地として、その当時動物保護区だったサダニを見てみようと思ったのだ。バガモヨとサダニの間にルヴ川、ワミ川という大きな川が流れていて、当時はフェリー（自分たちで綱を引っ張る舟）があった。一〇月でまだ乾季であったが、ワミ川からサダニの村に達するまでに車はスタックし（もちろん四輪駆動車だったが）、立ち往生した。私が村人に救援を頼みにいき、一〇人ぐらいの応援の村人たちが来てくれて、車に振動を与えて引き出してくれた。「ライオンもいるのかな」と少しだけ心配しながら、村まで歩いたことを記憶している。それ以降二〇年間今年の六月まで、サダニには行かなかった。

今回走ったのはサダニからタンガまで。このルートを通ればダルエスサラームからタンガまでは二七〇キロメートル、最短距離だ。この間のサダニ〜パンガニの約八〇キロメートルが未踏ルートである。二〇年前にあったフェリーの内、ルヴ川には橋が架かったが、ワミ川はフェリーがなくなり、通れなくなった。車で行く場合は、バガモヨから大きく迂回し、チャリンゼ〜セゲラ間の幹線国道に出ないといけなくなり、近道ではなくなった。

サダニは近年（二〇〇五年）国立公園に昇格した。動物保護区に、近隣の森林保護区、牧場などを併合して国立公園になっている。面積が一〇八三平方キロメートル。人口一五〇〇人ほどのサダニ村は依然存在しているし、北部の集落も残っている。またワミ川沿いの塩田もライセンスが二〇一七年まで残っているようで、小さな公園を走り、野生動物を見て感動した後、すぐ自転車に乗って走ってくる人の姿を見て興醒めしたりする。

サダニ（ワミ川）のカバ

人口圧が高い区域のせいか、野生動物の数も少なく、確実に見られるのはキリン、イボイノシシ、ブッシュバック、リードバック、ヴェルヴェットモンキー、バブーンなどで、他の国立公園より格段に落ちる。今回はシマウマ、ヌー、ハーテビーストも見た。ゾウ、ライオンもいるという。肉食獣に遭遇する可能性が非常に低いのが魅力に乏しい原因だ。ただ、公園内に含まれたワミ川のボートサファリはけっこう楽しい。カバ、ワニだけでなく、イグレットやヘロン（編者注：サギ科の鳥）、ハチクイ、カワセミの類の水鳥も多い。人間と共存しながら残されている生態系を見るというところだろうか。

サダニからパンガニ川南岸までは人口密度も低くなり、あまり手入れされていないサイザル農園などが広がっている。雨季には通れないだろう赤土の道が伸びている。タンザニアでは近年爆発的に携帯電話が普及していて、セレンゲティでもつながるほどだが、このルートでは通じにくくなる。

パンガニ川の南北にビーチリゾートが点在し、ヨーロッパ人を相手に商売しているが、ビーチそのものは川の南岸がいい。そのウションゴ海岸に数軒のビーチリゾートがあるが、今年オープンしたドイツ人の若者アレックス経営のリゾートは、ダイビングセンターを併設している。彼に言わせると「World Best 10 Unknown Beach」として売り出すとのことだが、「知られざる海岸」はいくらでもあるよね、というチャチャはともかくとして、美しい砂浜と沖のサンゴ礁が続いている。沖にある砂洲マジウェ島はアオウミガメの産卵地として有名だったが、次第に海中に沈降し、樹林が砂洲になってしまった。ウミガメが産卵しても、海中に没するようになると孵化しないので、島に植樹するか、卵を移動させるかと研究されているようだ。サダニにも産卵場所があるようだ。島の周辺はサンゴ礁が広がり、熱帯魚の棲家として海中公園に指定されて、シュノーケリングやダイビングを楽しむ人たちがボートを雇ってピクニックにやってくる。

パンガニの町は県庁所在地であるが、小さな眠ったような町である。本書第6話「パンガニ」でも紹介した。七月になって町中の道路の舗装化が始まった。県庁の前からタンガに向かう道路のほんの一部分が舗装化された。今まで一メートルも舗装道路のなかった県だから、これは画期的なことかもしれないが、今のところ一キロメートルにも達していないのではないか。反対側のタンガからパンガニを目指す道路も少し舗装が進んでいるが、全通するには何年もかかるだろう。

パンガニ県は圧倒的にムスリムの多い地域である。今回の訪問では、ラマダン月からラマダン明

マジウェ島

けのお祭り（イディ）まで滞在していた。イディの日は晴れやかだった。パンガニのフェリー乗り場では子どもたち相手の屋台やアトラクションをやっていた。皆お小遣いをもらってやってきたのだろう。日本の正月の雰囲気だった。イディの日にサダニからタンガまで走ったのだが、沿道は晴れ着を着た子どもたちの姿で溢れていた。本当にどの子もどの子も晴れ着をまとっていた。あるいは晴れ着を買ってもらえなかった子どもたちは表に出てこなかったのかもしれないが、この格別豊かとは思えぬ農村・漁村地帯で……と目を瞠った。タンガで日雇いをしている男に後日聞いたら、三人の子どもたち全員に、それぞれ新しい服二着と靴を買ってやるのに、二四万五〇〇〇シリング（約二万五〇〇〇円）かかったと言っていた。彼の日収は一万五〇〇〇シリングだから、その一六日分に当たる。お父さんは大変だ！ということになるが、ムスリムも子どもの学費が大変だからと産児制限をする世代になりつつある。

パンガニからタンガまでは約五〇キロメートル。沿道には「シーラカンスの獲れる村」として売り出し中のキゴンベ村があったり、パンガニ川南岸とは違って、かなり手入れの行き届いたサイザル農園が広がっている。

その途上にあるトンゴニ遺跡という小さな都市国家の遺跡にも立ち寄った。一四〜一五世紀の遺跡で、バガモヨ南郊にあるカオレ遺跡に似た感じだが小さい。モスク中心に貴族の住居、墓跡が広がっていて、マングローブの入り江につながっている。その住民規模についてクリスチャンの案内人は「一〇〇人くらいではないか」と適当なことを言っていた。もう少し多いと思うが、都市国家というより、その駐屯地のような感じだった。

ペンバ島、マフィア島や南部のミキンダニ周辺の遺跡をまだちゃんと見ていないのだが、スワヒリ海岸にはこのような、（代官）駐屯所がたくさん存在していたのではないかと思われる。ラム、モンバサ、ザンジバルやキルワといった巨大な都市国家と各地に点在していた小さな駐屯地との関係を示すものを探したいと思った。

パンガニの祭日

トンゴニ遺跡

第8話 バガモヨ散歩

二〇一五年三月一日

考えたら、この「スワヒリ海岸」シリーズでバガモヨのことを紹介したことがなかった。ダルエスサラームから近く、日帰りでいつでも行けるということで、サファリに出かける感覚がなかったからかもしれない。一昨年（二〇一三年）の一二月、故フクウェ・ザウォセの一〇周忌に久しぶりに泊まりがけで出かけ、街中を散歩した。そのことをまとめようと思いつつ、早一年以上が過ぎてしまった。

その時泊まったのはオールド・ポスト・ホテルという一九世紀末にできた郵便局を改装してオープンした街中のホテルである。バガモヨの中級以上の外国人向けホテルは、それまでみなビーチ・ホテルだったが、ここは海は見えるものの街中にある。ザンジバルのように古い街並みを売り物にするほど、バガモヨには残されていないというか、それだけの町としての歴史の積み重ねもないのだが、あえて古い街並みを探せばそこだろうかという一角にある。私たちが泊まったころは、まだサービスもぎこちなかったが、街中の散策には便利な立地だ。

まず、キャラバンサライ（編者注：隊商宿）に行ってみた。もちろん以前から存在していた建物なの

だが、一〇年ほど前（?）までは住人がいる古い壊れかけた民家で、内部を見せてもらうような雰囲気ではなかった。現在は天然資源観光省の考古局が管理する小さな博物館になっており、改修されていた。入口には象牙を運ぶ奴隷の姿の彫像が置かれ、入場料を取っている（外国人は大人二万シリング）。

内部にはキャラバンサライの住居部分が保存された二階建ての家屋と小さな展示室がある。その説明によれば、この建物は一八六〇年代末に裕福なアラブ商人サイディ・ビン・アワド・マグラムによって建てられたものだといわれる。象牙と奴隷の交易とココヤシのプランテーションで財をなしたという。かつて誤解されていたように運ばれてきた奴隷の収容倉庫ではなくて、いわゆる隊商宿であった。またドイツの侵略に抵抗したアブシリの反乱（一八八八～八九年）の際に抗争の拠点としても使われたらしい。

バガモヨの町の盛期は一九世紀である。バガモヨの南五キロメートルくらいの所に、一三～一五世紀にあった小さなスワヒリ都市の遺跡カオレがあるが、現在のバガモヨあたりにはションビ人というムスリムで、自称シラジ系（起源をペルシアのシーラーズに求める）の半農半漁の人たちの村落があったようだ。一七九〇年代の刻印の残る墓があるようだが、内陸からタボラ周辺を拠点とするニャムウェジ人のキャラバンが来るようになった一九世紀の一世紀がバガモヨが輝いた時代だ。遠く現在のコンゴ民主共和国東部から運ばれた象牙とその人夫として連れてこられ、ここからザンジバルに船積みされ、さらにアラブ諸国やモーリシャスなどに奴隷として売られた人たちの交易は一九世紀に勃興し、頂点に達し、二〇世紀に入らない前に消えた。

バガモヨへはコンゴからやってきたマニエマと呼ばれた人たちや、キャラバンの主力をなしたニャムウェジの人びとをはじめとするバントゥー語系の人びと、アフリカ大陸の外からはオマーン系、イエメン系のアラブ人商人、ヒンドゥー、パーシー、イスラーム、シーク系のインド人商人たちが移り住み、一種のコスモポリタンな町が一時期形成された。そこにヨーロッパ（主に英国系）からバートン、スピーク、スタンリーなどという探検者が上陸した。かの有名な伝道者兼探検家であったリヴィングストンはバガモヨには上陸しなかったが、遺体はここから故国へ帰っていった。一九世紀の東アフリカの海外に向かって開いた窓、出入り口であったのだ（本書第17話「探検家たち」、第18話「内陸スワヒリ都市」参照）。

キャラバンサライは、一九世紀のバガモヨの街中から見ると少し離れているが、現在ではダルエスサラームからのバスが到着するターミナルや新しい中央市場、食堂など人通りも多く繁華な所に近い。そこから海岸に向かい、旧税関の先にあるダウ港に下りる。満潮を過ぎた後で、近隣の島からの人たちを乗せたジャハジ（中型ダウ船）や、漁を終えて上がってきたマシュアやンガラワ（小型ダウ船）が多く停泊しており、魚を買い取ろうとする仲買人も集まっていた。小型の鉄の動力船も停まっていたが、何を運んで来ていたのか、訊いたはずだが覚えていない。浜辺には修理中のンガラワや、建造途中で止まっているジャハジが並んでいた。

バガモヨは海辺にマングローブ林のある遠浅の海である。以前、スタンリーの道をたどるというテレビ番組の企画で、ザンジバルとバガモヨを日帰りのダウ船で往復したことがある。エンジンを付け

キャラバンサライ（バガモヨ）

バガモヨのダウ港

ず、昔ながらの帆だけのダウ船だから、風、潮を読みながらの航海で、その時の往復は往きが大変で帰りはよいよいでまる一日かかった。凪いでいるとほとんど進まないダウ船だが、クジラやイルカを見ながらののんびりした航海もいいものだった。しかし、バガモヨに波止場というか突堤があって接岸できるわけではなく、海にじゃぶじゃぶと腰まで浸かりながらの荷物の上げ下ろしは大変だろう。

浜辺には社会主義時代の公社経営の唯一のビーチリゾートであったBADECOが閉鎖され、朽ちるにまかされているように見える。そこから陸側に上がる坂道をたどると、ドイツ植民地支配に抵抗したアブシリの支持者たち六人が絞首刑になった場所に慰霊碑が立っている。坂道を上りきると、小さな砦があり、これが現存するバガモヨ最古の建物らしい。一八五〇年代末〜六〇年代初め、アラブ商人アブダラ・セレマニ・マルハビによって建てられ、当初はその商人の住居であったが、その後改修されてスルタンの代官の住居、役所、刑務所、奴隷キャンプなどに使われたという。かなり堅固な建物である。

その砦から、旧郵便局前を通り、ローマン・カトリック教会への曲がり角まで続く道が、インド通りという目抜き通りになる。ザンジバルのストーンタウンと比べるべくもないが、この道をのんびり歩くと、いくつかの味のある古い建物が目にとまる。砦の方から北へ、リク・ハウス、ボマ、アラブ・ティーハウス、旧中央市場、旧郵便局、ナセル・ヴィルジ・ハウス、セワ・ハジ病院など、いずれも一九世紀の建物が点在している。

リク・ハウスにはおりからアブシリの反乱の最中だったが、エミン・パシャと彼を「救出」したス

バガモヨのボマ

バガモヨ旧市街にあるリク・ハウス

タンリーが泊まったといわれる。その晩、エミン・パシャが二階から転落して大けがを負ったという事件があり、エミンの自殺ともスタンリーによる暗殺未遂とも噂されたらしい（富田正史『エミン・パシャと〈アフリカ分割〉の時代』参照）。探検の時代が終わりを告げ、植民地化・分割の時代に入っての英独の駆け引きにされたということだ。この建物がそれであるかどうかははっきりとは知らない。この地区には一八五七年にナイル川の水源を求めて内陸に向かう準備をしていたバートン、スピークが泊まったといわれる家もある。

ボマ（ドイツの旧総督府・役所）は今回訪れた時は改装中だった。もうできあがっているだろう。またきれいに改修を終えたアラブ・ティーハウスもある。この道から少し中に入ったところにある旧中央市場は、一九八〇年代は多くの米、野菜が売られていたが、今はその類はほとんどなく、美術品市場になっていた。ティンガティンガ風の絵画が多く並べられていたが、バガモヨにある芸術カレッジの卒業生たちの具象・抽象の絵画も並んでいた。また旧市街の古い建物の一階の一部が美術品・土産物屋になっているのも見かけた。ザンジバルのストーンタウンの主要な通りはもう完全に観光客相手のその手の店が花盛りだが、バガモヨはまだまだ観光客が少なく、市場や店には閑古鳥が鳴いていた。

一九世紀のバガモヨの町は一種コスモポリタンな空気があったと書いたが、どういう人たちがどのくらい住んでいたのだろうか。きちんとした統計はないようだが、一八世紀後半のさまざまな文献から類推すると、定住人口が四〇〇〇〜六〇〇〇人の間で、それにニャムウェジ人のキャラバンが到着して数ヵ月滞在している時には、一〇〇〇人単位で増えるから、最大一万人ぐらいだったのではない

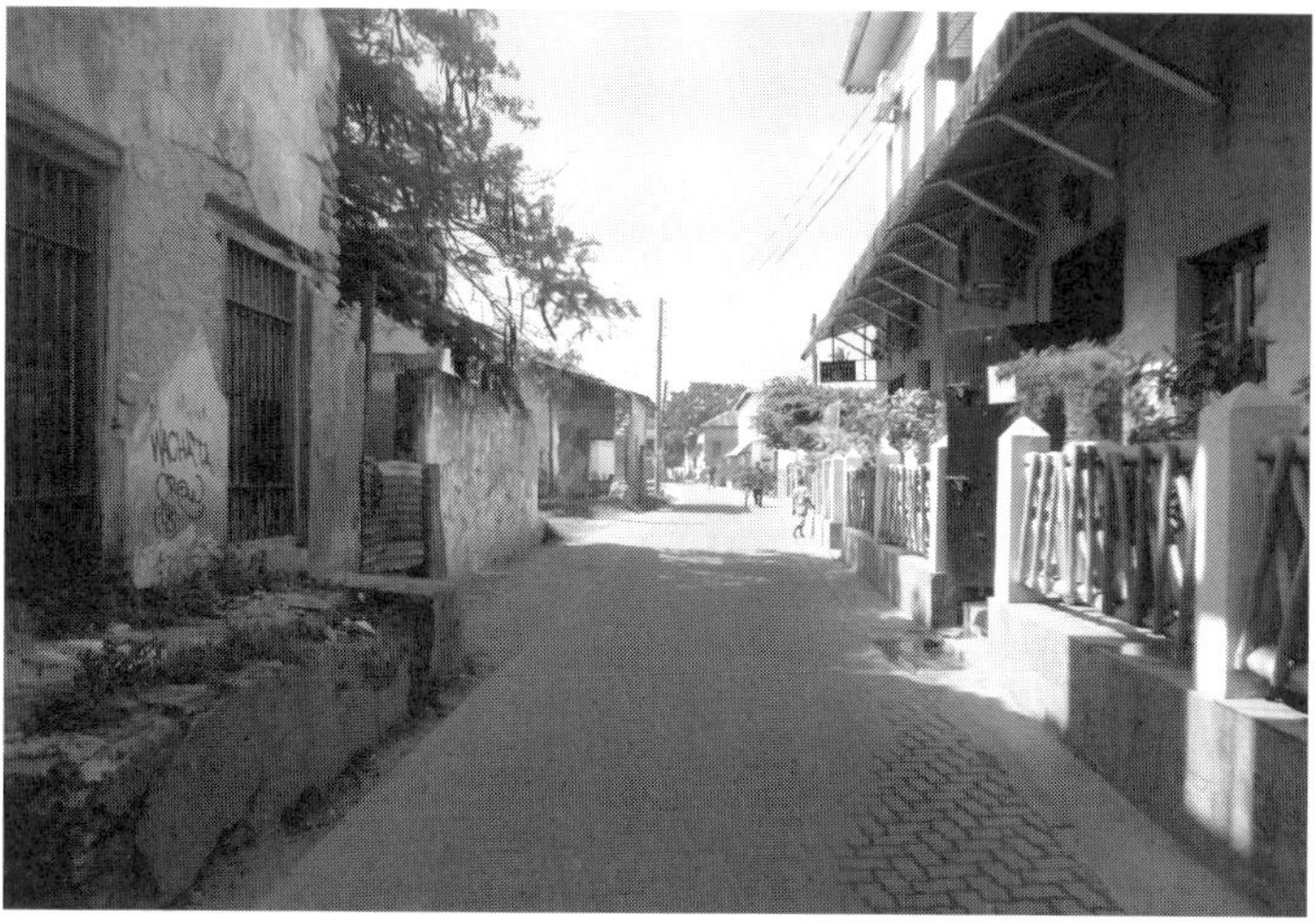

バガモヨ旧市街

かという。これは少なめの推定で、一八八〇年代にニャムウェジ人のポーターだけで、一万五〇〇〇〜二万人の往来があったとする記録もある。一八八八年のアブシリの反乱勃発時には二万人といわれる。

まず外来者から見ると、一九世紀初め〜半ばにアラブ人商人たちが移住した。これはオマーンのブサイード朝のサイド・サイード王（在位一八〇四〜五六年）によるザンジバル進出、本拠地移転の流れのなかで、大陸沿岸部に移住・定住するアラブ人が増えたためである。彼らは沿岸部の干魚、塩、コーパル（ゴムの樹脂）を交易し、ココヤシのプランテーションを開き、そして内陸部への象牙と奴隷交易のキャラバンを組織した。そして、ザンジバルのスルタンの代官やその傭兵であるバルチ人もカオレに駐屯するようになる。

インド人は上述したように様ざまな宗教の共同体が、一九世紀の後半に主に商人として移住してきた。

最初はヒンドゥーのバティア共同体で、バガモヨの税官吏ラムジー（Ramjee）としてバートンの記録に残っている。ムスリムではシーア派のボホラ、イスナシェリ、イスマイリーなどの共同体も移住して来た。イスナシェリではナッセル・ヴィルジ（Nasser Virji）の名が高い。イスマイリー派では学校、病院などの建設で名を残すセワ・ハジ（Sewa Haji）が知られる。これらの共同体は、それぞれの寺院、モスクを旧市街のなかに建てるだけの人数がいた。さらにインド人スンニ派ムスリム、パーシー教徒、ゴア人キリスト教徒などの少数派も存在していた。

さて、外来者を迎えた地元の人たちはどういう人たちだったか。ションビというペルシア起源のシラジ系を自称する人たちが、海岸部の土地所有者として存在していた。さらにザラモ、ルグル、カミ、クウェレ、ジグア、ドエという後背地の諸民族が混在・通婚していた。一九世紀に入ると内陸からキャラバンとしてやってきたマニエマ、ニャムウェジ、スクマの人たちが、数ヵ月滞在する居住区（キャンプ）を作ったが、次第に帰らない人たちも生まれ、近隣の人たちと通婚するようになった。また南部のマラウィ方面のヤオ人などのキャラバンはキルワから商品の輸出をしていたが、一九世紀半ば以降は英国海軍による奴隷貿易鎮圧の動きを避けるため、バガモヨまで迂回してきていて、DNA分析では南部の人たちの混血も見られるという。その彼らはイスラームを受容し、カンズ、コフィア、ブイブイといった服装を取り入れていく。バガモヨにタンザニア本土初の教会としてできたローマン・カトリック教会は、奴隷解放に尽力したが、バガモヨの町の地元民は今なおムスリムが圧倒的に多数派である。

一九世紀のキャラバンの主要商品は象牙であった。これはインドそしてそこ経由でヨーロッパに輸出された。インドでは伝統的な装身具・工芸品としての需要、ヨーロッパでは産業革命期に入った一八二〇年代から、櫛、ピアノの鍵盤、ビリヤードなどの需要が増えて、価格が一八三〇年から七〇年の間で約三倍と急騰した。一八四八年のザンジバルへの象牙の輸入で、バガモヨからが二三パーセント、キルワからが二二パーセントと拮抗した数字が残っているが、一八七二／三年にはバガモヨ六一パーセントに対し、キルワは数字がない。南部の後背地のゾウがほとんどいなくなったのだ。象牙というのは、現在のゾウの密猟の横行が中国における富裕層の増大を背景としているように、紀元前から王侯貴族による贅沢品、ステータス・シンボルとしての需要があった。人間の欲望の果てしのない拡大がアフリカゾウを絶滅に追い込むのだろうか。

さて、奴隷貿易はどうだったろうか。よく知られるようにインド洋における奴隷貿易は、西欧の資本主義を形成した大西洋の三角貿易の一辺である奴隷貿易のような規模ではなかった。しかし、九世紀のイラクに起こったザンジの乱に見られるように、紀元前から奴隷が商品であったことは間違いない。千年以上におよぶ期間で、東アフリカからの奴隷輸出は二八〇万人ほどという推計があり、うち一九世紀だけで一五〇万人となっている（イライジャ・ラヴジョイ）。つまり一八世紀半ばになるまではインド洋交易のなかで奴隷という商品は大きな比重を占めていなかったのである。

一八世紀半ばに起こった変化とは、インド洋の当時フランス領だったモーリシャス、レユニオンに導入されたサトウキビのプランテーションにおける奴隷労働力需要である。現在のマラウィやモザンビーク北部からの奴隷がヤオ人キャラバンの手によって南部のキルワから輸出されるようになった。

そして一九世紀の前半にオマーン勢力により、ザンジバルと海岸地方にチョウジ、ココヤシのプランテーションが開かれた。一九世紀に東アフリカから輸出された奴隷は、アラブ諸国・ペルシア・インド（一二・三パーセント）、南アフリカ（一八・六パーセント）、モーリシャス・レユニオン（六・四パーセント）で、東アフリカ海岸に残ったのが五一・七パーセントという数字が残っている。東アフリカ海岸の需要はプランテーションの労働力で、バガモヨ周辺にはココヤシ、イネのプランテーションが開かれていた。

バガモヨの繁栄に打撃を与えたアブシリの反乱について少し触れておこう。アブシリ・ビン・サリム・アルハルシの祖先は一〇世紀にパンガニに住みついたアラブ人といわれる。オマーンのブサイード朝のスルタンがザンジバルに政権を樹立する前からの在地のアラブ人で、スルタンの宗主権を認めているわけではない。一八八五年のベルリン会議で現在のタンザニア本土がドイツ東アフリカ会社（DOAG）の勢力圏とされた後も、東アフリカ海岸の一〇マイル地域はザンジバルのスルタンの宗主権が認められ、土地・徴税を担当する代官が置かれていた。一八八八年四月新スルタン・ハリーファが独英の圧力に負け、この宗主権を現在のタンザニアはドイツに、ケニアは英国に引き渡したことから事は始まった。

上陸してきたドイツ人が、スルタンの旗を降ろしてドイツ国旗を掲げ、役所を接収すると、在地勢力は「スルタンは土地を白人に売り渡した」と抵抗の姿勢を示した。アブシリはその指導者として、在地のアラブ人、ションビ地主層が協力して反乱が始まった。一八八八年九月のことである。サダニの首長（ボンディ人）のブワナ・ヘリも呼応し、北はタンガ、パンガニから、南はミキンダニ、リンディ、キルワといったスワヒリ海岸地方へ広がり、キルワではドイツ人二人が殺された。ドイツの軍艦がバガモヨの町を砲撃し、町の住民はカトリック・ミッションに逃げ込んだ。いったん休戦の後、準備を整えたドイツ軍は一八八九年五月ビスマン司令官のもとに攻撃を再開した。その後いくつかの離反、援軍、裏切りがあったもののアブシリは捕えられて、一八八九年一二月パンガニで絞首刑にされた。この反乱は植民地支配に対する初期の民族的抵抗の例に挙げられるが、参加した人びとは在地のアラブ人奴隷所有地主層と、伝統的土地支配者が主力で、対ドイツ、対ザンジバルのスルタンへの思惑もまちまちで、後背地のアフリカ人民衆を巻きこむことはできなかった。

このアブシリの反乱の後遺症もあり、一八九一年四月にドイツ領東アフリカの首府は、バガモヨからダルエスサラームに移されることになった。それは内陸（キゴマ）へ向かう鉄道が建設されることになり、その起点として深水港を建設できるダルエスサラームがバガモヨより優位と考えられたためとされる。インド人商人はダルエスサラームに移住し、バガモヨは県庁所在地とはいえ寂れた地方の小さな町に過ぎなくなっていった。私が初めてバガモヨを訪れたのは一九七五年だったと思うが、ダルエスサラームからの路線バスも少なく、道路も未舗装で、雨季には六五キロメートルを二時間もかかるような状態だった。

一九八〇年後半からの経済の自由化に伴い、外国人によるビーチリゾートが少しずつオープンし、道路も舗装が進んだので、カオレ遺跡とバガモヨの町は日帰り観光の対象になった。伝統芸術を教える芸術カレッジも創立され、芸術祭が毎年開かれるようになった。しかし、バガモヨが再び脚光を浴びようとしているのは、ダルエスサラームの港が入り江のなかにあり、現在の大型船の時代には不向きになってしまったからだ。つまり大型船が寄港できる港をカオレの近くに中国の援助で作り、その後背地に免税特権を持った輸出用の工業団地を建設しようという計画が着々と進行中である。バガモヨが再び世界に向けて開かれた窓口になる日も近いかもしれない。そしてその場合、見据える世界はヨーロッパではなく、インド、中国なのだろう。日本もその視野に入っていることを期待したい。

最後にバガモヨという町の語源について。これには二説あり、一つは一般に膾炙している①故郷を離れる奴隷たちの嘆きという説、もう一つは②長い苦しいキャラバンを終えて戻ってきたポーターたちの安心の喜びという説である。五〇年以上前から説が分かれていたようだけど、結論は出たのだろうか。①はいかにもヨーロッパ・キリスト教的、観光的な気がして、私は②の支持者だが。歴史学・言語学的に調査すればさほど難しくないのだろうけど、結論は寡聞にして聞かない。自分で調べる余力もないので、ご存知の方がいればご教示してほしいという横着な希望である。この件に限らず、調べ出すと不十分な点が多く見つかり、バガモヨの歴史的考察は見直しが必要だろう。

☆タンザニア本土最初の教会であるローマン・カトリック教会やその敷地内にあるリヴィングストンの遺体を安置した塔、海岸にある旧税関や南のカオレ遺跡などは、広く紹介されているので写真は割愛した。

参考文献

Walter T. Brown, 1970. BAGAMOYO: An historical introduction. *Tanzania Notes & Records*, No.71.
Richard Francis Burton, 1859. The lake regions of central equatorial Africa, *Journal of the Royal Geographical Society*, Vol.29.
Johannes Henschel, 2011. *19th Century Humans as Merchandise: Slaves in Bagamoyo*, Desk Top Prodution Ltd..
Bertram B. Mapunda, 2007. *Bagamoyo: From a Slave Port to Tourist Destination*, Department of History, University of Dar es Salaam.
Felix Ndunguru, William Lucas Kadelya & Johannes, Henschel, 2003. *Bagamoyo During the ushiri War: 1888-1889*, Department for Antiquites, Catholic Museum.
Abdul Sheriff, 1987. *Slaves, Spices & Ivory in Zanzibar*, Tanzania Publishing House.
富田正史『エミン・パシャと〈アフリカ分割〉の時代』（第三書館、二〇〇一年）。

第9話　紹介『ダルエスサラーム』

二〇〇九年一二月一日

今回は、James R. Brennam, Andrew Burton & Yusuf Lawi 編『*Dar es Salaam: Histories from an Emerging African Metropolis*』（Mkuki na Nyota and the British Institute in East Africa, 2007）を紹介したい。副題は『出現するアフリカ巨大都市の歴史物語』とでも訳したらよいのだろうか？ ダルエスサラームという今どんどん成長していっている巨大都市を主人公とした歴史物語である。この本の存在を私は共著者（寄稿者）である鶴田格さんからいただくまで不覚にも知らなかった。ダルエスサラームにある出版社の発行なのにもかかわらずである。ダルエスサラームの一般書店の社会科学の棚でも見かけなかった。タンザニアの出版社の販売力の問題なのだろうか？

ただこの本の起源はその序文に書いてあるように二〇〇二年におこなわれたダルエスサラーム大学でのワークショップ（会議）である。私自身が鶴田さんに誘われて参加したことを思い出した。「二〇世紀のダルエスサラーム」と題したその会議は英国東アフリカ研究所（ＢＩＥＡ）とダルエスサラーム大学歴史学科の共催だったが、その時提出されたペーパー（報告）がこの本の根幹となっている。

英語のネイティブスピーカーが多く、早口の議論について行けずに、居眠りしていたのを思い出す。

本書の構成は以下のとおりである。

第一一章 「ちょっと何かいなかっぽい」：ダルエスサラームのヒップポップ音楽初期史

編著者はそれぞれ、ブレナン（ロンドン大学オリエント・アフリカ研究所アフリカ史講師）、バートン（BIEA名誉研究員、『African Underclass』の著者）、ラウィ（ダルエスサラーム大学歴史学科上級講師）という肩書きで紹介されている。

この本の内容に沿いながら、ダルエスサラームという町の発展、歴史をたどってみよう。第一章に編著者が略史を述べている。第三章と第四章に住宅地区の区分、時代による発展が記されているので、それを併せて記したい。

ダルエスサラームという町が建設されたのは一八六〇年代、おそらく一八六二年からザンジバルのスルタン・マジッドが夏の離宮の建設を始めた。マジッドは単なる離宮ではなく、ザンジバルの後背地の大陸側からの輸出港としての機能をダルエスサラームに期待したのだろう。ザンジバルのスルタンが町の建設を始める前は、ムジジマと呼ばれるションビ人などの漁民やザラモ人などの農民が住む小さな村だったと思われる。現在のザンジバル行きのフェリー乗り場の周辺から、南西側（駅の方向）に当時の建物が少し残っている。イスラーム風（ザンジバル風？）の町が作られようとしていたのだろう。一八六七年の推定人口は九〇〇人ほど。スルタン・マジッドが一八七〇年に死に、後継のスルタン・バグラッシュがダルエスサラームの町にさほど興味を示さなかったためか、あるいはザンジバルそのものへのイギリスの圧力が強化され、それどころではなくなったためか（ザンジバルの奴隷市場の閉鎖は一八七三年)、ダルエスサラームの発展はゆっくりとしていた。

一八九一年、ドイツ領東アフリカの首都がバガモヨからダルエスサラームへ移される。遠浅のダウ船用の港町であるバガモヨから、天然の良港であるダルエスサラームに移されたのだ。二一世紀の現在、ダルエスサラーム港はキガンボーニ水道が浅く、大型船が通行できないので、港としての機能に限界があり、逆に新たにバガモヨ方面に大型港の建設計画が持ち上がっているが、ダルエスサラームの港町としての機能が重視されて発展してきたことがよくわかる。一八九四年の推定人口は一万人ほど。

ドイツの植民都市としてダルエスサラームの都市計画は作られた。現在の港沿いの地区にも当然アフリカ人が住んでいたわけで、彼らの財産であるココヤシの木や家があった。それをほとんど涙金のような補償金で追い出された一八九〇年代のアフリカ人地主の記録が残っている。涙金でも補償金をもらえたのはいい方で、「その土地が自分たちのものである」ことを証明できなかった多くのアフリカ人たちは、ただ単に追い出されたのだろう。それどころか代わりに地主となった、ヨーロッパ人(あるいはインド人)に地代を払って住むようになった。例えば現在のカリアコー地区にあった二一三

本の表紙

ヘクタールのザンジバルのスルタンの農園を購入したあるドイツ人は、スルタン・プランテーション会社を作り、アフリカ人から地代を取って貸していたという。町中のアフリカ人の二四〇〇世帯、二万四〇〇〇人の内、一六〇〇世帯、一万五〇〇〇人がここに住んでいたとされる。

ダルエスサラームの発展のなかで、ドイツ、そしてその後を引き継いだイギリス植民地当局は都市計画を作成し、「公共の衛生のために（＝ヨーロッパ人のために）」住居区は人種別に分けられる。ゾーン一はヨーロッパ人用行政区および住宅地で、現在の官庁街、シービュー地区、ウパンガ地区。ゾーン二がアジア人（インド系）用でバザールと呼ばれる商業地域で、現在の街中である。ゾーン三はアフリカ人居住区で現在のカリアコー、ゲレザニ地区であった。ゾーン二とゾーン三の間にオープンスペースが作られ（完成したのはイギリスの植民地時代の一九三〇年代で、現在のムナジモジャ公園）、アフリカ人地区と隔離する思想が見える。南アのアパルトヘイトはそれを極端にしただけであって、西欧の作った植民地都市は基本的にそういう都市計画になっているものが多い。

ゾーン一と二に住んでいたアフリカ人は、一九二〇年代極めて少数の例外（ザラモ人の首長など）を除いて、ゾーン三へ追い立てられた。しかし、その一方でアフリカ人のためとなっていたゾーン三にアジア人が流入していくようになる。それはアジア人の商業地区であるゾーン二の非衛生状態を改善するために、一年毎の土地の賃貸契約から、その土地に建てられる建物の価値によって、三三年、五〇年、九九年の土地の保有権を与えるという条例が施行されるに伴い、ゾーン二の建物が急速に改善され、それによって独身者だとか貧しい階層のアジア人たちがゾーン三であるカリアコー地区に流入してきたことによる。また、それまで市場はゾーン二にあったが、一九二三年カリアコーに新たに中央市場が建設され、流通の中心として商業チャンスがカリアコーに生まれたことである。一九二七年、ゾーン三にある四二〇ヵ所の取引所の内三九六はアジア人の保有となり、一九三一年には二〇三五軒の家の内一四二は正式にアジア人の所有となった。それ以外に、アフリカ人の大家が払いの悪いアフリカ人の店子を追い出し、アジア人の店子を入れる傾向が続いた。カリアコーの中心の通りであるムシンバジ通りでカリアコーを東西に分け、東は商業地区、西はアフリカ人のための住居地区としたりしたが、アジア人の流入、商業の支配は続いた。アフリカ人はカリアコーの西のイラという新たな住居地区に移住するものも増えた。第二次世界大戦が勃発し、一九四三年から人種別の食料配給が始まり、アジア人より低い配給レートとされたアフリカ人は、流通を握るアジア人との対立を深め、それは戦後の混乱期まで続いた。

第二次大戦後の復興計画のなかで、ダルエスサラームも拡大を始める。大戦中の一九四三年に推定四万五一〇〇人だった人口は、戦後一九四八年の国勢調査で六万九二七七人、独立前の一九五七年には一二万八七四二人に増えている。この人口の急増は専ら周辺の農村部からのアフリカ人の流入であるから、アフリカ人の住居区が整備されなくてはいけない。戦前から郊外の村が住居予備地域となっていて、ムササニ、キノンドーニ、マゴメニ、キゴゴ、ケコ、チャゴンベ、ブグルニ、テメケといった区域がそれである。これらの地域は植民地政府の手である程度整備されて分譲されたり、ある程度の収入があるアフリカ人には住宅建設用のローンが与えられたりした、ダルエスサラームのなかでは比較的古く落ち着いた住居地域となっている所が多い。港沿いのクラシーニには一部ヨーロッパ人（港、教会関係者など）が住み、オイスターベイ地区はヨーロッパ人用住居区として整備された。

しかし、一九六一年の独立後はダルエスサラームの発展にさらに拍車がかかる。独立後の最初の国勢調査の一九六七年には二七万二八二一人（現在の区域に直すと三五万六二八六人）、その次の一九七八年には八四万三〇九〇人、一九八八年には一三六万八五〇人という具合である。当然アフリカ人の住居区域はさらに郊外へ伸びていく。北へはバガモヨ・ロードに沿ってミコロショーニ、キジトニャーマ、シンザ、ムウェンゲ、カウェといった区域。西へはモロゴロ・ロードに沿って、ムワナニャマラ、ウブンゴ、ムララクワ、マビボ、キマラ。南西へはプグ・ロードに沿って、タバタ、ヴィンググティ、ヨンボ、ゴンゴラボート。南へはキルワ・ロードに沿って、タンディカ、バガラ、そして水道の対岸のキガンボーニにもダルエスサラーム市街へ通勤する人たちの住居区域が広がっていった。

二〇〇〇年代に入ると（二〇〇二年の国勢調査では二四九万七九四〇人）、私がダルエスサラームに住みだした一九八四年にはまだ純然たる農村地域だった所にも、通勤者用の住居区が開かれ、郊外から、ウブンゴ、ムウェンゲ、テメケといった中継のターミナルでバスを乗り換えて、一時間以上かけて通勤してくる人が増えてきた。それには、ブンジュ、キバンバ、キルビヤ、プグ、コンゴウェといったダルエスサラーム州とコースト州の境にまで広がり、いや実際にはキバハなどコースト州の町からダルエスサラームに通勤する人の数も少なからず存在しているのである。

第六章の筆者は『*Potent Brews*』（二〇〇二年刊）という本を書いた、東アフリカの飲酒の歴史を調

ダルエスサラームの目抜き通りサモラ・アヴェニュー（2006年撮影）

べた人だ。イギリスの植民地となった南東部アフリカでは、飲酒は常に「労働力の確保」との関連で政策づけられていた。特に南アの大農園や鉱山のように安価な労働力を要求する所や、ケニアもある程度そうで、都市を「移民労働者のプール」とし、女性は締め出す傾向があった。ダルエスサラームではその規制は緩やかで、地酒製造販売者としての女性が存在していた。イギリス人（ヨーロッパ人）にとっては植民地における飲酒は「本来怠惰なアフリカ人を酔っ払わせ、ますます怠惰にし、あるいは凶暴にしかねないもの」として禁止、あるいは規制する対象である一方、行政当局としては酒類の製造・販売許可、さらには酒税による歳入の増加の対象でもあった。イスラームの影響の強かったダルエスサラームで、地酒としてのヤシ酒（テンボ）が、地方出身者には強すぎるとされ長く禁止されていたこと、より「衛生的な酒」を提供するために製造されたヨーロッパ人製造の地酒、市の酒場が不人気ですぐ閉鎖されたエピソードが書かれている。

さて、この本を特色づけるのは実は第Ⅱ部の五つの章の方だろう。普通の学術書にはあまり出てこない、音楽とかサッカーの歴史あるいは近況である。ダルエスサラームという町を支配者の視点から描くのではなく、町の主人公である民衆の文化、遊びから眺めたいという編者たちの志向だろう。文化を生み出し、またそれを消費するのは民衆なのだ。

第七章は音楽の通史になっている。最初に来た一九七五年ころは夜遊びをしなかったのでほとんど記憶ないが、一九八四年からの大学院留学時代にはよく夜のディスコにも行ったし、新婚時代にも妻と踊りに行った。そのころ全盛だったリンガラ音楽のバンド、ザイール（編者注：現在のコンゴ民主共和国）人のスター、彼らが本拠地にしていたいくつかのナイトクラブの名前が懐かしい。また確かに当時全盛のザイール音楽なのだが、そのリズムの通称となっていたシキンデ、ンデクレや、ムドゥンディコといった踊りが実はダルエスサラームの地元のザラモ人のリズムの名前であるなど、新しい驚きだった。

第八章の鶴田さんのヤンガとシンバのライバル話に少し触れておこう。実は私はヤンガ・シンバ戦を生で見たことはない。日本であえて例えれば大阪における阪神・巨人戦だろうが、それは大阪対東京という地域意識があるのに対し、ヤンガとシンバはどちらもダルエスサラームの下町カリアコーにあるクラブであり、地域性はない。元はといえば鶴田さんの書くように、ヤンガが行商人、漁師など教育のない労働者層でアフリカ人色が濃く、一方シンバが教育を受けたインテリ層、役人層で、アラブ人、インド人も参加しているという色合いの違いは、おそらく一九八〇年代には残っていたようだが、今はそんな気配はないと思う。

ともに一九三〇年代の末に起源を持ち、ダルエスサラームの元々の住民であるザラモ、デンゲレコといった人びとの社交クラブとしての性格を持ち、クラブのメンバーが死ぬと埋葬の互助組織となり、タアラブ（編者注：ザンジバルの宮廷音楽）の楽団とも密接な関係を持っていた。ダルエスサラームの人気クラブとしてタンガニーカ全土に支持ファン層、友好クラブ網を築き上げていく。一九七〇年代の半ばに二つのクラブは分裂を経験する。シンバからはニョタニェクンドゥ、ヤンガからはパンアフリカンというクラブが分裂した。共に、巨大化全国化した人気クラブの経営の主導権、財政争いで、本来の創設メンバーの多くが争いに負けて出ていき、新しいクラブを創設した形になっている。私がダルエスサラームに住みだした一九八四年当時は、ニョタニェクンドゥもパンアフリカンも人気クラブで、一部リーグの優勝争いをしていたと思う。二〇〇〇年代に入ってはとんとスポーツシーンでは名前は聞かない。ダルエスサラームの下町の社交クラブに戻っているようだ。

一〇月末のヤンガ・シンバ戦でシンバが勝ったことは、翌日のダラダラ（編者注：乗り合いバス）が赤と白の旗を立てて走っていたのでわかった（ヤンガが勝っていたら黄色と緑になる）。オフィスのスタッフに訊くと、入場料は最低で五〇〇〇シリング、スタンドで二万シリングで、さらにＶＩＰ席など高い席があるという。そこそこ高いが目の玉が飛び出るような値段でもない。新装となった国立スタジアムでの次のヤンガ・シンバ戦を見にいってみようかという気になっている。

第九章では一九七〇年代初めに流行したミニスカートが、「ふしだらな服装」として取り締まられ、それに裁判で戦った女性のエピソードが記される。二五歳独身で旅行会社のOLのポーリーンは一九七〇年一〇月の土曜日の夜、知り合いの女性の家で開かれたパーティーの後、一緒に参加した女友だち数人と盛り上がり、街中のホテルに踊りにいく途中で警察に捕まった。一一時ころである。彼女の着ていたひざ上一五センチのミニスカートが「ふしだらな格好」ということで咎められたのだ。一緒に逮捕された女友だちが皆罪を認めて釈放されたのに対し、ポーリーンは罪を認めずに、四晩留置所に泊まった後保釈金を払って釈放され、裁判に訴える道を選んだ。検察側の「ポーリーンの服装はタンザニアのものではなく、国の文化にとって恥である」とし、それに対し弁護側は「スチュワーデスが着ている服は国際水準であり、ふしだらとは言えない」としながらも「タンザニアに服装の丈を定めた法律はないから、これは国会の問題である」と一方で回避を図った。結局、ポーリーンは無罪になるのだが、この裁判は例えば当時の世界的なミニスカートの流行にタンザニアの女性も無関係ではなかったことを示すだけではない。一九六九年一月から開始された当時の支配政党TANU（タンガニーカ・アフリカ人民族同盟＝現在のCCM（革命党）の前身）の青年部による「若者作戦」といわれるキャンペーンが背景としてあった。「若者作戦」は地方からダルエスサラームに上京して職のない若者を農村に強制的に送り返したりしたのだが、女性のミニスカートやスラックス姿も取締りの対象となっていた。若者風俗の変化を、性風俗の退廃、売春と結びつける保守層、特にタンザニア女性同盟（UWT）からの批判が強かった。しかし、さらにこの背景としては独立後強まってきた都市（特にダルエ

再開発中のダルエスサラーム

スサラーム）への若い女性の流入、ＵＲＡＦＩＫＩ紡績工場などで女性工員が大量に採用された社会現象がある。一九六七年のアルーシャ宣言以降の社会主義政策の展開のなかで、建前としての「性の平等」が少しずつにではあるが社会のなかで現実に進行し、女性の給与所得者、ホワイトカラーも出現し、一方で依然として失業率が高いダルエスサラームの若い男が結婚難に陥り、街中では今までの「男らしさ」の威信が崩れていくという過程でもあったという。一九七〇年代は十分に歴史の対象になっているということか。

第一〇章はおもしろい。タンザニア南西部のマテンゴの人びとが、ダルエスサラームに出てきて小さな共同体を作っているのだが、その人びとの集まりで、民族の音楽が同郷人を結ぶ絆になっているという話。マテンゴの人びとは、元々肥沃で湿潤な土地に暮らしており、一九五〇年代からのコーヒー生産

コロニアルな建物（2006年撮影）

も順調で、土地を離れて都市へ向かう移民数が比較的少なかった。ただ、ドイツの植民地時代からベネディクト派教会・修道院による教育の条件がよく、高学歴の人たちがダルエスサラームで政府、国際機関などのポストを得る比率も高かったという。そのマテンゴの人たちのダルエスサラームでの小さな共同体は、住居区が集中しているなどの特に強固な紐帯を持っているわけではないが、メンバーの子どもたちの洗礼祝い、結婚式などで、大勢集まった時に注目を浴びるのはリンデコという音楽だった。太鼓と鋤という二つの楽器からなる単純な音楽だが、参加者は情熱的に踊り、マテンゴ語で歌うという。マテンゴ高原での幼少の時代の生活を懐かしむ一世世代にとっては、「自分が都会でも田舎の人間でもないような中途半端な人間のように思える」瞬間なのだろう。そしてその子どもたちで、ダルエスサラームで生まれ育ち、田舎での生活を経験せず、マテンゴ語をほとんどしゃべれない若者たちにとってリンデコという音楽は、自分たちのアイデンティティに結びつくのか、今から三〇年後の次の世代につながるのか……コスモポリタンになりつつあるダルエスサラームのマテンゴの人びとを思うと共に、ふと自分たちの子どもたちのアイデンティティを思い浮かべた。

さて、二〇〇九年現在、ダルエスサラームの人口は三五〇万人を超えていると思われる（四〇〇万人説もある）。人口面ではナイロビを凌駕して、東アフリカ最大の都市に成長した（『ダルエスサラーム』のデータに依れば一九九〇年代に既に抜いていた）。社会主義の時代は土地への投資がほとんどなく、街中も植民地時代の建物が幅を利かせ、「古き良き時代」を髣髴とさせていた。それが一九九〇年代の半ばから始まる自由化の流れのなかで、再開発、古い建物の取り壊し、高いビルの建設ラッシュが始まった。今年は世界不況のせいで工事がストップしているものもあるが、街の再開発の流れは変わらないだろう。その流れのなかで、古いコロニアルな建物がどれだけ生き残るか……。タンザニア政府の指定している「保存すべき建物二八」であるが、それがどうなっていくのか、あるいは再開発されてしまうのか、また主人公であるダルエスサラームの住民はよりコスモポリタンになっていくのか、見守っていきたいと思っている。

参考文献

James R. Brennan, Andrew Burton & Yusuf Lawi, 2007. *Dar es Salaam: Histories from an Emerging African Metropolis*, Mkuki na Nyota and the British Institute in Eastern Africa.

Andrew Burton, 2005. *African Underclass - Urbanisation, Crime and Colonial Order in Dar es Salaam*, The British Institute in Eastern Africa.

Justin Willis, 2002. *Potent Brews: A Social History of Alcohol in East Africa, 1850-1999* (East Africa Studies), Ohio University Press.

第10話 ナンデテからキシワニまで

二〇一五年四月一日

昨年（二〇一四年）一一月にキルワに行ってきた。これで何回目だろうと数えてみたが、正確には思い出せない。七回目か八回目か。今回はまず、マジマジの反乱（一九〇五〜〇七年）発祥の地とされるナンデテ村に建てられた記念碑を見にいき、ついでにキルワを再訪しようという旅だった。

正直に言うと、旅立つ前からナンデテ村とキルワをしっかり関係づけていたわけではない。ナンデテ村はマジマジの反乱（[編者注：根本利通著『タンザニアに生きる』第9話]「マジマジ一〇〇周年」参照）の発祥地で、ドイツの植民地支配下、商品作物であるワタの栽培のために強制労働に駆り出されていた人たちが、ナンデテ村でワタの木を三本引っこ抜いたのが抵抗の始まりとされている。しかし、反乱の初期の指導者であったキンジキティレ・シグワレ（キンジェケティレという表記もあり）の故郷で、「魔法の水」を授かったというンガランベ村の方がより興味あった。しかし、小雨季に入った道路状況がよくわからなかったので、まず情報のあったナンデテ村を先に目指した。

ダルエスサラームの渋滞を避けるために、朝五時の出発。六時過ぎにはダルエスサラームの町をぬけ出す。街中に向かう車線ではもう渋滞が始まっている。ダルエスサラームを出ると、いい舗装道路がキルワまでつながっていて、車両も少ないので快適なドライブになる。この時はルフィジ川を渡った対岸のソマンガの手前がまだ工事中だったが、二月に聞いたところではもう完成したという。最初に行った一九七六年のサファリのことを思い出すと、夢のようだ。

ソマンガから南下してンジア・ンネ（四つの道）というところを右折する。ダルエスサラームから約二六〇キロメートルの地点だ。分岐点には古着屋などの店が軒を連ね、近隣の商取引の集散地になっている。ここから三〇キロメートルあまり内陸に入ったキパティィムの町までは、未舗装だがグレーダーがかけられたまずまずの道路で路線バスが走っている。キパティィムはリンディ州キルワ県のなかのキパティィム郡という行政単位の中心地である。そこから先ナンデテ村までは一〇キロメートルたらずの距離だったが、マトゥンビ丘陵と呼ばれる山のなかに入っていき、通る人も少ない曲がりくねった山道で、いつ補修したのかと思われる悪路だった。しかし、記念碑の除幕式は二〇一〇年八月に行なわれ、キクウェテ大統領が列席したはずだから、その時には道はきれいに補修されたはずだ。

ナンデテ村はさほど遠くなかった。道のどんつきの小高い丘に診療所があり、その脇に立派な記念碑が立っていた。管理人はいないように見えた。マジマジの反乱勃発から一〇〇周年記念の事業はソンゲアなど各地で行なわれたが、この記念碑もその一つで、費用はドイツ政府が出したようだ。碑文には次のようにあった。

「一九〇五年七月一五日、この地域のマジマジ戦争（蜂起）のマトゥンビ民族の英雄たちは、外国の支配者に反対するために、ドイツ植民地当局の農場のワタの苗木を引き抜いた。これが闘争を引き起こし、マジマジ戦争の発祥となった。

「この戦争は瞬く間に燎原の火のように四方に広まった。現在の州でいえば、リンディ、ムトワラ、ルヴマ、イリンガ、モロゴロ、プワニ、ダルエスサラーム州である。」

「英雄たちは伝統的な武器である槍、弓、斧、ブッシュナイフ、石、先ごめ銃、パチンコ、そして弾丸を通さない特別な水を使った。それに対し、ドイツ軍は重火器を使用するとともに、心理戦術を用い、公衆の面前で戦士たちを絞首刑にしたり、畑や食料庫を焼き払い、戦士たちを飢餓に追い込もうとした。」

「マジマジ戦争は一九〇七年八月八日に終わった。勝者はドイツ植民地当局であり、数千の死体と飢饉をこの地域に残した。しかし、これはアフリカ大陸における外国の植民地支配に対して、共通の目的を持った多くの民族を結びつけた解放戦争の始まりであった。」

碑文の上には、四方を見はるかす民衆の銅像があった。七〜八人ほどだろうか、女性は二人か。水を運ぶ女性、太鼓を叩く男性などの姿だ。碑文のはめ込んである台が高すぎて、銅像を高く仰ぎ見ることになり、その民衆の表情をよく見られないのが残念だった。またこの像の作者の名前がどこにも書いてないように思えた。記念碑の一面にはマジマジ戦争の初期の闘いの英雄として三〇人の名前が記されていた。そのなかの二番と三番に、最初にワタの木を引っこ抜いたといわれるングルンバルヨ・

ナンデテ村のマジマジ反乱の記念碑

マンダイとリンディムヨ・ムチェカの名が記されていた。

マトゥンビの人たちのドイツに対する抵抗は、マジマジの反乱が最初ではない。小屋税に反対したパンプキン戦争というのが一八九八年にあった。またその前にキルワ・キビンジでは、一八九四〜九五年にハッサン・オマリ・マクンガンニャによるドイツ人への攻撃があった。海岸地方では本書の第8話「バガモヨ散歩」で紹介したアブシリの反乱が大きかった。南部海岸地方でもアブシリの反乱に呼応した形でのヤオ人の抵抗運動もおこった。一八八四〜八五年のベルリン会議でドイツ領東アフリカと勝手に決められ、乗り込んできていきなり支配者然とするドイツ人に対してタンザニアの人びとは当然抵抗した。ムクワワ率いるヘヘ人の抵抗（一八九一〜九八年）が有名で、それ以外の諸民族も各地で抵抗したが、各民族の連携が取れず各個撃破され、ドイツの軍事力の前に鎮圧された。

マジマジの反乱は、一九世紀末の初期の抵抗と違い、民族を横断し連携の取れた広範囲の闘争であったとされる。マトゥンビ人によって蜂起は始められたが、事前の連絡があったようで近隣のンギンド人、キチ人はすぐに参加し、ルフィジ人、ザラモ人、ルグル人、ポゴロ人、ベナ人、サガラ人、ムウェ

ナンデテ村の風景

ラ人、マクア人などダルエスサラームから南西部地方に瞬く間に広がった。魔法の水を運ぶホンゴというお使いが各地に派遣された。南部で精強を謳われるソンゲアのンゴニ人の参加も大きく皆を勇気づけた。しかし、もう一つの有力民族であるへへ人はムクワワの反乱の傷が癒えずに合流せず、逆にドイツ側に付いた。ただ、ポゴロ人やベナ人は完全に一体であったわけではない。また、南部でヤオ人やマコンデ人の一部も近隣の民族との対抗関係からドイツ側に付いた。もちろんタンザニア人という意識はなかったし、外国人とアフリカ人との対立という意識も弱かったのかもしれない。

ナンデテ村は過疎の気配が漂う。沿道にはキャッサバやモロコシの畑がある。大雨季には窪地ではイネ、斜面ではトウモロコシを作ると言うが、水は豊富だとは思えない。村の小学生が井戸から汲んだ水をバケツで運ぶ姿をよく見かけた。ンガランベ村への道を訊いたが、マトゥンビ丘陵の西斜面で山越えになる。車で行けないことはないようだったが、周囲は森林保護区だし、その先にはセルー動物保護区という原野になる（セルーという広大な動物保護区ができた背景にはマジマジの反乱でのドイツ軍による焦土戦術がある）。未知の道をトライするには時間的に厳しそうなので次回を期すことにした。

ナンデテ村からキルワを目指す。まずキパティィムの町で、往路に目立って見えた教会に寄ってみた。ドイツ植民地下ならルーテル派教会、あるいは英国支配下の時代の創建だったら英国国教会かなと思ったが、なんとカトリック教会だった。創始者はベルギー人だったという。話を聞いた若い関係者（司祭補？）は最近転勤してきたばかりで、教会の歴史を詳しくは知らなかった。ナンデテ村の記念碑の場所から近くに見下ろした村の教会は草葺きで村の風景に溶け込んでいたが、キパティィムの教会は丘の上にあり、あたりを睥睨しているように立派だった。マジマジの反乱で「魔法の水」という在来信仰がヨーロッパ人の銃火器の前に崩れ去り、その後、急激にキリスト教が広まったとされるが、イスラームも強まったようだ。

教会で会った中学生に、地図で表示されているマトゥンビ洞穴のことを訊いてみた。マジマジの反乱の際にゲリラたちが立てこもった洞穴なのではないかと言われる。案内を頼んだのだが、洞穴のなかは暗くて懐中電灯なしには歩けないと言う。準備不足を悔やんだが、歴史由緒を説明してくれるガイドもいないようなので、これも次回に回すことにする。

キパティィムからンジア・ンネまでの沿道には電柱数本がところどころに置かれ、電線が張られるの

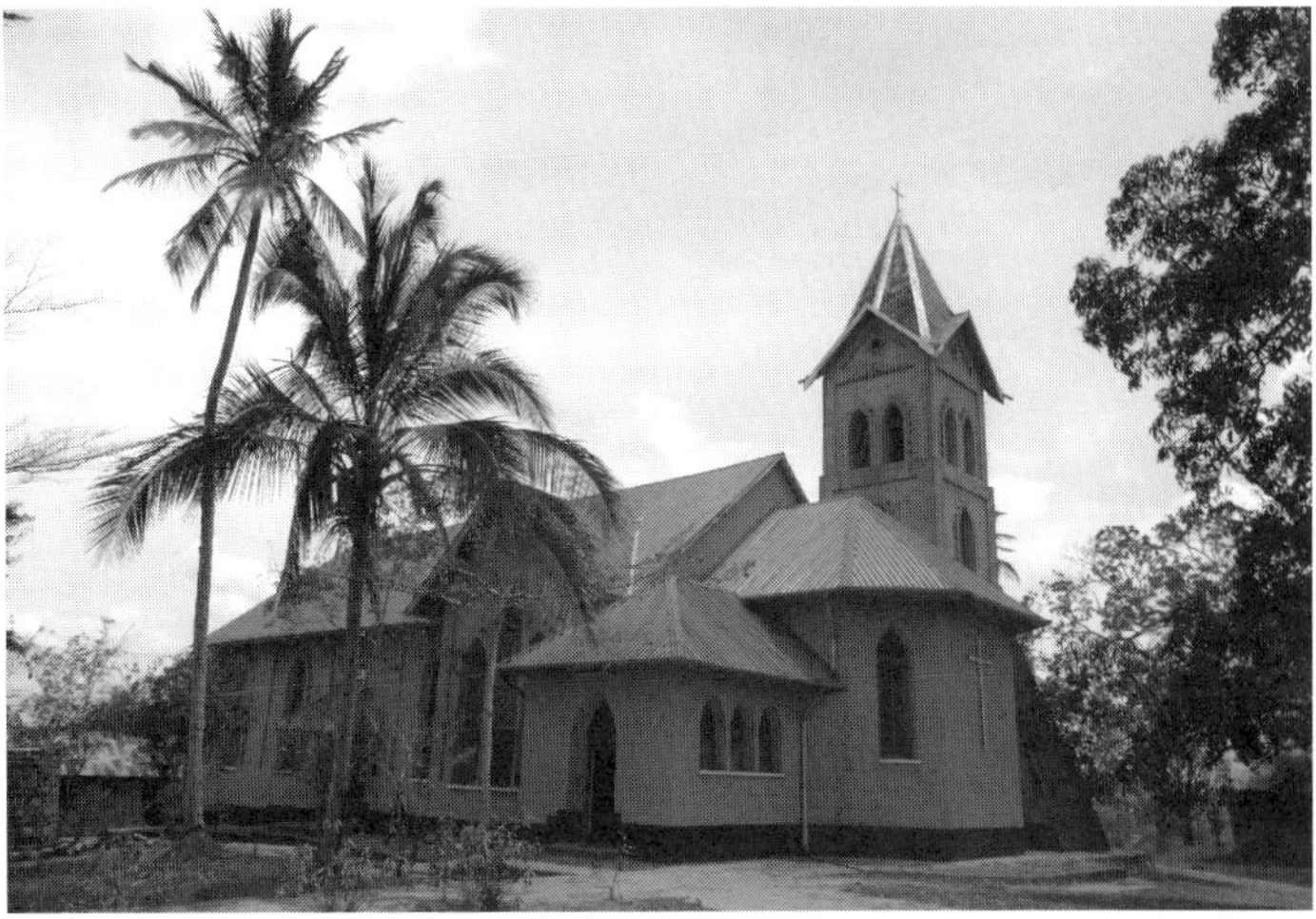

キパティムにあるカトリック教会

を待っていた。実際、キパティムの教会からは電柱が立てられ、電線を張っている電力会社の人たちを見かけた。こんな山奥まで電気がいよいよ届くのかと思うと、沿道の人たちは感無量だろう。来年の総選挙の政府与党のキャンペーンだなというような下衆の勘繰りは止めておこう。

ンジア・ンネでリンディ、ムトワラを目指す幹線道路に戻り、南下する。途中のナングルクルの分岐で海側の道に左折し、マソコを目指す。ナングルクルにあった青年海外協力隊員の顕彰碑の碑文である銅板は盗まれたまま戻っていなかった。ナングルクル分岐から海が近づく。この道をまっすぐ海に下るとキビンジの町になる。マジマジの反乱の時のドイツの役所があった町だ。マジマジの反乱の初期の指導者を描いた戯曲『キンジェケティレ』の第一幕で、主人公のキトゥンダがキルワに行ったことを、ドイツ人に情報を漏らしたと疑われるシーンがある。そのキルワがキビンジである。

この日はキビンジに寄らずに、シンギノ分岐を右折してマソコを目指す。病気にやられたココヤシが目立つ道を通りぬけ、飛行場の脇をぬけ、新しくできたビーチリゾートを目指す。道先案内の看板がところどころにあるのだが、いたずらされているのかなかなか行きつけない。漁師たちが水揚げをする小さな魚市場のようなところに出て、教えてもらう。そのすぐ隣だった。翌朝、ビーチリゾートから夜明けを見ていると、上がって来る漁船が金色に輝く沖合を多く通った。市場ではセリが始まっているようだ。と、漁師が魚をぶら下げて砂浜を通る。ここは、プライベートビーチではなくて、漁師の浜にビーチリゾートを建てたのだ。観光客が多くなると、ザンジバルのようにイスラームの村をビキニ姿が行き来するのだろうか。

キルワ遺跡のガイドを事前に泊まっているロッジに頼んでいたのだが、前日に打ち合わせに来た男性のガイドではなく、当日の朝会ったのはなんとジャミーラさんだった。二〇〇六年に遺跡の案内をしてくれた人だ。そのころはまだ成り立てのガイドで初々しかったが、今やベテランの域に入っている感じだった。嬉しい再会だった。ジャミーラさんに道中いろいろその後の話を聞いた。ガイドの研修のために今年はガーナに行ってきたという。昨日私たちがナンデテ村に寄ってきた話をすると、なんと彼女はナンデテ生まれだという。ナンデテ村の小学校の歴史でキルワ遺跡のことを学び、憧れてガイドを目指したと言う。前回会ったときは、キルワの内陸部の出身としか聞いていなかったのでナンデテ村とは思わなかった。家族はもうナンデテ村にはおらず、ご両親はソマンガ、妹はマソコに一緒にいるという。ナンデテはやはり過疎の村なのだ。

世界遺産になっているキルワの遺跡は、メインのキルワ・キシワニ遺跡だけではなく、その衛星国家であったソンゴ・ムナラ島とサンジャ・ヤ・カティ島の遺跡を含めている。キシワニ遺跡はマソコの向かいで簡単に行けるが、ソンゴ・ムナラの遺跡には一回しか行ったことがない。前回は一九九二年、なんと二二年ぶりの訪問だ。ダウ船で行くと風次第だがかなり時間がかかりそうなので、エンジン付きのボートで向かう。網を掛けている漁師。一人釣り糸を垂れている漁師の乗った小型のンガラワ。数人で釣っている若者たちを乗せたマシュア。おそらく漁獲物をマソコに売りにいくと思われる人たちの乗合の中型のジャハジとすれ違う。予想以上の一時間半くらいかかった。

ソンゴ・ムナラ島の浜には多くのダウ船（漁船）が停泊していた。浜辺には、網を干していたり魚を乾物にしようとさばいている男たちがいたり、小さな店もあり、小さな集落ができていた。定住した集落というより、一種の季節出稼ぎキャンプなのかもしれない。それを抜けるとマングローブ林のなかの細い流れになっている小道が遺跡へとつながっている。二二年前と変わらない。しかし、着くとユネスコによってすっかり整備された遺跡が待ち構えていた。入口には平面の案内図が掲示されていた。

島の語源になっているムナラ（塔）はほとんど崩れ落ちている。海を望むモスクではハイラックスの一群が走っていた。墓のあるモスクの敷地内でおおいに蚊に食われる。めったに来ない人間だ！モスクの後はスルタンの宮殿とオフィス。キシワニにあるフスニ・クブワをかなり小さくしたような造りで、小さな浴場もあった。さらに歩くと貴族の住居区、そして平民の住居区と思われる区画も発掘されて整備されていた。バオバブの木、それも時を感じさせる巨木が多く、半分崩壊した遺跡の風景の雰囲気を醸し出していた。

ソンゴ・ムナラ島からキシワニ島を目指す。ふつうマソコからキシワニに渡る時は、ゲレザ（編者注：牢獄の遺跡）に近い波止場に上がるか、まっすぐフスニ・クブワ（編者注：大城砦の遺跡）に着けるかなのだが、今回は南西側から島に接近したので、定置網を回り込んでマクタニ宮殿の岸で上陸した。このルートは初めてである。宮殿の周りではヤギたちが草を食んでいた。

マクタニ宮殿を見てから、小ドームモスク、大モスク、グレートハウスと通過する。そこから集落の間を抜けてゲレザに着く。ゲレザの日蔭では休憩する人、コーランを読む若者たちがいた。この門にいた人に、エブラヒム・フセインの生家（シェイフ・フセイン・ハウス）を尋ねる。ジャミーラさんは正確には知らなかった。そして古いマリンディ・モスクの跡を迂回しながら、島の内部に向かう。

エブラヒム・フセインは一九四三年、このキシワニに生まれた。若いころから天才を謳われ、東ドイツ留学、二〇代からスワヒリ語の戯曲を発表した。上述の戯曲『キンジェケティレ』を発表したのは一九六九年である。私も何回かお目にかかったことはあるが、にこやかで温厚な人が多いふつうのタンザニア人と違って、かなり神経のピリピリした人だという印象だった。ご家族の治療のため、ダルエスサラーム大学教授の職を捨て、ナイロビ大学に移り、またダルエスサラームに戻られた時には公職を捨てられたと思う。ダルエスサラームの路上で散歩している氏とときどきすれ違った。今はど

ソンゴ・ムナラの遺跡

うされているのか。島の人たちもそれに関しては口を濁していた。

エブラヒム・フセインの祖父はキシワニ島では有名なイスラームの導師（シェイフ）であったという。島にはイスラームの高校があり、遠くから来たであろう若者たちが静かな環境で学んでいた。エブラヒム・フセインの生家は外側のバラザ（編者注：玄関扉の脇に常設されたベンチ）も文様を刻んだドアもある典型的なアラブ・スワヒリ風の家できれいに修復されているようで、頼めば内部も案内してくれるようだが、敬虔な宗教心など持ち合わせない私のこと、それは遠慮した。この島から世界に飛び立った俊才の生家の前に、山奥のナンデテ村で歴史を学んだ少女を立たせてみたいという感傷だけだったのかもしれない。

集落でジャミーラさんが干し魚を買っている。かなり大きいが三五〇〇シリング、明日の昼のおかず

キシワニのエブラハム・フセインの
生家の前に立つジャミーラさん

だという。中の道を通ってフスニ・クブワを目指す。途中で数世紀にわたって使われている大井戸（キシマ・キクー）を通る。大勢の女、子どもたちが水を汲んでいる。この島では真水は貴重だ。バオバブの老木が点在する灌木林。ときどきカシューナッツの木があり実をつけているが、出荷されることもないのだろう。植生がマングローブ林に変わると、フスニ・クブワに着き、海を望む塔楼に立ったとき、思わず日蔭にへたり込んでしまった。フスニ・クブワの保存状況を点検する余裕はなかった。暑い！　そして体力が衰えたことを実感する。

最終日はマソコを朝発ってキビンジに向かった。ジャミーラさんにも昼食までの半日付き合ってもらった。キビンジの町に入ったところの県立病院は健在であり、その横にやはりマジマジの反乱で吊るされた人びとの慰霊碑があった。実はここには以前大きなマンゴーの木があり、そこで吊るされたので「吊るし首のマンゴー」と呼ばれていたのだが、その木が枯れて、代わりに慰霊碑が造られたのだという。今は七人の名前が書かれていた。四辺とも書かれているのだが、その順番が違う。最初は違う人たちかと思ったが、同じ七人の名前が違う順番で書かれているのだ。ただ必ず一番上に出ている名前はハッサン・オマリ・マクンガンニャで、これは上述の一八九四年に反乱を起こした人で、マジマジの反乱の際に吊るされた人ではない。しかし、慰霊碑には「マジマジ戦争の英雄」とのみ記されていた。この感覚はどんなもんなんだろうか。

キビンジの町自体は、私が最初に訪れた一九七六年とあまり変わらないように見えた。もちろん変化はあったのだろうが、町の規模とか、町並みに大きな変化はないように思えた。その昔泊まった寂れたゲストハウスも、依然寂れた雰囲気で営業していた。壁には「RAMA GUEST HOUSE」と書かれていたが、記憶とは違うのでオーナーが変わったのかもしれない。

キビンジにあったドイツの役所（ボマ）は修復が一部されていたが、まだ完成しておらず、内部には人が住んでいた。管理人代わりなのだろうか。役所の前には錆びた大砲があり、その先はすぐに海で、ダウ船が三〇隻以上停泊していた。裏手のかつて朽ちかけていた外階段がついた二階建ての建物は買い手がついたらしく、色の塗り直しをしていた。なんでも観光客相手のホテルになるのではないかという噂だ。

ダウ港からなかに入ると旧市街がある。と言っても大した広がりではなく、南北の長い通りは二本だけだ。その一つが元インド通りである。無人で樹木の生い茂った朽ちかけた建物があり、かというといくぶん修復してあるサンゴ造りの建物に、ちゃんとした彫刻が施されたドアがあって人が住んでいたり、一階では店が開いていたりする。そのわずかに開いている小さな雑貨屋の老主人はおそらく七〇代の半ばだろう。その昔、ダルエスサラームに出て、ボホラ（インド系ムスリムの一派）に雇われて商売を始めたと言う。現在は店のオーナーなのか、雇われ店長なのかは知らない。鍵やマッチといった小物から、水道管やシャベルなどありとあらゆるものを売っていた。日本語で書かれた「スピード皮むき」を見つけた時は奇妙な感覚だった。

老主人と別れてまた通りを歩きだす。ふと振り返ると老主人は通りに出て何やら空手の恰好をしている。翁、元気でいてくだされ。その日は日曜日だったので、小学校はお休みで、子どもたちはマダラッサ（コーラン学校）に通っていた。ダラサ（授業）が終わって小さい子どもたちが飛び出してくる。数少ない観光客の私たちが見世物になる。古い町がひっそり閑としているのはさみしいものだが、小さい子どもたちが多いと、どっこい町は生きている。

二階建ての元は立派だったのであろう、住人の少ない区画を通りすぎると、ある東西に走る通りを隔てて平屋建ての家だけの区画になる。サンゴ石を使っている家もあるようだが、日干しレンガで壁を作り、マクティ（ヤシの葉）かトタン屋根の家が多い。サンゴ石は今は使用の制限が厳しいはずだ。マングローブ材の柱に土壁、マクティの屋根という伝統的な造りの家は郊外に出れば今も多いが、町中では少ない。しかし、一九世紀までは庶民の家はみなそうだったろうし、奴隷身分の人たちももちろんそうだったろう。となると一四～一五世紀のキシワニ遺跡の現在は残ってない区域に、その人たちの暮らしが営まれていたはずだ。歴史は支配者・勝者のものが伝えられ、残されているが、そうではない人たちの上にも同じ時間は流れ、歴史はあったはずだ。その息吹をどうしたら読み起こせるの

キビンジのボマからダウ港を見る

キビンジの元インド通りの老主人

だろうかといつも停まってしまう。

キビンジのもう一つの南北の通りを戻る。こちらには市場やバス・タクシーのターミナルもあり、その周辺には一階のバラザを広くした建物があったり、軒先を突き出して店が営業していたり、人間が多く住み活気があった。こちらの通りの方にあまり記憶がなく、近年になって賑やかになったのだろうか。私の「キビンジは眠ったように死にゆく町」という先入観は訂正されないといけない。

キビンジでバナナとココヤシを買い込んだジャミーラさんと別れ、ダルエスサラームを目指して北上する。沿道の土壁・ヤシ葺きの家が通りすぎるのをぼんやり眺めながら、スワヒリ海岸の歴史をつなぐキルワ〜バガモヨ〜ザンジバルの旅を企画してみようかなと思わせたサファリだった。

参考文献

Ally Kassim Guwi, 2003. *Historia ya Kilwa na Utamadumi wa Wakazi*, Tanzania Publishing House.

Gilbert C. K. Gwassa, 1969. The German intervention and African resistance in Tanzania, In: Isaria N. Kimambo & Arnold J. Temu Eds. *A History of Tanzania*, East African Publishing House.

Ebrahim N. Hussein, 1970. *Kinjeketile*, Oxford University Press.

John Iliffe, 1979. *A Modern History of Tanganyika*, Cambridge University Press.

Karen Moon, 2005. *Kilwa Kisiwani*, Ministry of Natural Resources and Tourism, Tanzania.

根本利通「マジマジ一〇〇周年」『タンザニアに生きる』（昭和堂、二〇一一年）。

Arnold J. Temu. 1979. Tanzanian societies and colonial invasion 1875-1907, In: Martin H. Y. Kaniki Ed. *Tanzania Under Colonial Rule*, Longman.

第11話　ミキンダニ

二〇一〇年一一月一日

一〇月一四日のニエレレ・デーが木曜日であったのを利用して、三泊四日で南部海岸のサファリに出た。ダルエスサラームから南下して、キルワに一泊。キルワ・キシワニ遺跡を見学して、翌日ミキンダニまで南下、二泊して、ダルエスサラームに戻った。

キルワの遺跡はもう数回行ったことがあるが、ミキンダニの町は、現代の町であるムトワラの陰に隠れて目立たず、タンザニア滞在二六年で、初めての訪問である。これでタンザニア内のスワヒリ海岸は全て陸路で走破したことになる。ケニアのラム島、パテ島にも、モンバサから北上して陸路（最後はもちろん海路）で行ったことがあるから、二ヵ国のスワヒリ海岸も制覇か……という極めて個人的な感慨である。おまけにいうと、モザンビーク島には空路で行ったが、ソマリアにまでは行っていない。その昔（一九八〇年代後半）、ナイロビからモガディシオに飛ぶ飛行機の予約をしながら、結局行かなかったのが、今となっては悔やまれる。

ダルエスサラームから、一路キルワ・ロードを南下する。ダルエスサラーム市内でも、このキルワ・

ロードの沿道は、他のモロゴロ・ロードやバガモヨ・ロード、あるいはプグ・ロード沿道とは少し違った雰囲気をもつ。コースト州、リンディ州、ムトワラ州という南部海岸、タンザニアでは最も「開発の遅れた」、イスラーム色の強い地方からの出身者が固まって住む地域。少し市街区を抜けると、風景もコヤシ、マンゴー、キャッサバ、カシューナッツと続く。

この南部海岸沿いの風景は、私個人にとっては懐かしい。今まで何気なく見ていたのだが、今回注意してみると沿道にカシューナッツの木が多く、それもかなり高くなっているのに気がつく。もう実のなるシーズンは過ぎてしまったようだが。また、ナングルクル（キルワへの分岐点）を過ぎると、バオバブの木が増えてくる。白い花をつけていたり、海辺のマングローブの林のすぐ傍まで、バオバブの木があるのに気がついたのも初めてだったかもしれない。

ミキンダニのオールドボマ

同行者がいるサファリの利点だろう。

さて、初めての町ミキンダニ。泊まっていたオールドボマという、一八九五年にドイツの南部総督府として建てられた建物の塔の上からミキンダニ湾を遠望してみる。南北から細く岬が伸びていて、入り江を囲んでいる。天然の良港だったのだ。岬の左右には集落が見える。漁村なのだろう。海外との交易の主役がダウ船であった時代は、ミキンダニは主要な港としての地位を保つ。しかし、二〇世紀に入り、動力船が主役になりだすと、隣のより深い湾であるムトワラに港が移され、ミキンダニは寂れてしまう。

町の起源というか、最初の人間の居住は九世紀といわれているが、証拠はない。西の高原のマコンデの人たちが海岸に移住したという。現在のミキンダニの町の住民は、民族的には混住のようだが、マコンデが多数派だと聞いた。また、九世紀、キルワの建国伝説にもあるように、アラビア半島あるいはペルシアでの党派闘争に敗れたアラブ人、ペルシア人の一団の移住があったといわれるが、証拠となるような遺跡は残っていないようだ。

これだけのダウ船の良港であれば、キルワと南のソファラを結ぶ交易の中継ぎ、避難港としては使われただろう。九世紀から一七世紀に至るまでの長い期間の史料（文書記録）はないのではないか。ミキンダニ港から内陸部（現在のマラウィ、あるいは北部モザンビーク）に向けた細いキャラバン・ルートもあっただろう。一七世紀終わりになって、フランスによるモーリシャス、レユニオン島でのサトウキビのプランテーションに必要な奴隷を輸出するためにミキンダニ港も使われた。

奴隷貿易となると、登場するのはデイビッド・リヴィングストンである。この超有名なキリスト教宣教師・探検家は、奴隷貿易廃止、キリスト教の福音を伝えるために、東南部のアフリカの「未踏の」土地に何回も分け入った。長期の探検は三回で、その最後の三回目にこのミキンダニの町から、内陸部に入ったとされる。一八六六年三月二四日～四月七日の間、ミキンダニで探検の準備をしていた。その時滞在したと言われている（これは疑問のようだ）家を、イギリスのNGOが買い取り、「リヴィングストン・ハウス」と名づけ、改装中だった。旧奴隷市場といわれる建物もきれいに改装されていた。奴隷貿易の跡を観光の目玉にしようとする姿勢は、やや釈然としないが、「忘れてはいけないこと」と理解するしかないだろう。

なお、オールドボマを改装し、高級ホテルとして経営しているのも、このNGOである。内部には八部屋しかないが、リヴィングストンやニエレレ以外に、ドイツの総督、イギリスの総督、リヴィングストンの遺体をザンビアから運んだ従者の名前などが、各部屋に付けられている。ミキンダニ湾を眺望できる、快適なリゾートになっている。

ミキンダニの町を歩いてみる。二時間もあれば見所は全て回れるような小さい町。アガカーン派の建てた建物は、荒れていたが、一階は今でもコーラン学校として使われている。インド系の人びとの姿は見かけなかったが、イスナシェリ派のモスク、ヒンドゥー寺院なども残っている。インド系の人びとは、ヒンドゥーであれ、イスラームであれ、同じ共同体の人数がある程度揃ったら皆の集まる場所として、信仰の建物を建てる。ヒンドゥー寺院の建設年代が一九六〇年となっていたが、そのころ既に主要港はムトワラに移っていたはずで、何人ヒンドゥーの人びとが残っていたのだろう？　現在も廃墟ではなく、何かしら使われている気配があるが、誰が維持管理をしているのだろうかと心配になる。

海岸線の通りから中に入ると、元繁華街かと思われる町並みがある。二階建てのバルコニー付の建物で、一階のドアはザンジバルのように文様を刻んだドアになっている。平屋建ての建物も、バラザ付のスワヒリ風の建物。しかし、維持が十分ではなく、壁が一部崩れ、サンゴ石がむき出しになっている建物もある。一筋裏に回ると、マングローブで枠組みをした土壁の家が多くなる。

ミキンダニの町としての繁栄は、せいぜい一五〇年間くらい。一九世紀初頭から二〇世紀前半までだっただろうと思われる。奴隷貿易で栄えるまで、一七〜一八世紀も主要港ではなかったと思われる（一八世紀のミキンダニ経由の奴隷輸出はあまり記録が残っていない）。したがって、町に歴史としての重

ミキンダニの建物

サンゴ石がむきだしになった壁とドア

ミキンダニの町並み

みがあまり感じられない。タンザニア北部で言えばパンガニだろうか？　バガモヨのカオレ遺跡のような小さな都市国家遺跡も、発掘されないのではないか。いわば風待ちの、中継港であったのだろうと思う。

実はこのミキンダニ滞在には、町の散策以外にもう一つ目的があった。ホエール・ウォッチングである。ミキンダニ湾から南に下がった海域には鯨（ザトウクジラ）が見られる。毎年八〜一〇月にはクジラがこの海域で繁殖しているという。去年今年と知り合いの日本人が三回船出して、三回ともクジラに出会っているので、期待して船出した。

ミキンダニ湾から船出して、ムトワラ湾（港）を通り過ぎ、ムサンガムクー岬を回って南下すると、海洋公園の区域に入る。このムナジ湾ルヴマ河口海洋公園 (Mnazi Bay Ruvuma Estuary Marine Park) は、二〇〇〇年に指定され、タンザニアではマフィア島に次ぐ二番目の海洋公園だという。面積六五〇平方キロメートル、内海洋部分は四三〇平方キロメートルとのこと。サンゴ礁の海、マングローブ林、クジラ、イルカ、さまざまな熱帯魚、シーラカンスも棲息する。他にも多くの海鳥、ルヴマ河口には

キルワ・キシワニの修復中のゲレザ（牢獄跡）

カバ、ワニ、カメなどもいるという。ダイビング、シュノーケリングに好適らしい。

残念ながら、私たちはクジラとは遭遇できなかったので、証拠写真はお見せできない。海洋公園のベテランのボートのクルーが、その鋭い視力で探してくれたが、潮吹きを見つけることはできなかった。最近、沖合でダイナマイト・フィッシングをしている形跡があるらしいとのことだった。

今回、途中で、キルワ・キシワニの遺跡にも寄った。四年ぶりである。印象的だったのは、キシワニの波止場が完成していたことである。数年前、ユネスコに日本人の事務総長が生まれた時、日本もフランスに誘われて、何か世界遺産の保存の援助をしようという話になった。その時候補になったのが、キシワニの波止場である。その当時、あるゼネコンの所長さんが測量のまねごとをする手伝いをした。その時には波止場はできなかったが、今回は完成していた。突堤の上を歩くと、強風がきたら怖いだろうなと思うような高さだったが、その突堤の上でコーランを読んでいる若者が数人いた。

前回の訪問で、大小のモスクの修復が進んでいたのは気がついた。今回目立ったのは、マリンディ・モスクと、ゲレザ（牢獄跡）の修復が大幅に進んでいたことである。マリンディ・モスクは今までは基礎しか残っていなかったような記憶だったが、今回はちゃんとモスクと理解できるような建物になっていた。ゲレザはかなりきれいになっていた。サンゴ石を砕いて、水にしばらく漬け、強度をつけ、漆喰として使っている。今回訪れたのは夕刻だったが、夕日に映えてコーラルピンクが美しかった。荒れ果てた要塞というイメージから、少し変わっていた。

第12話　モザンビーク島

二〇〇五年二月一日

今回はタンザニアではなく、南の隣国モザンビークの話。正月休みを利用して行ってきた。タンザニアに定住しだして二〇年、アフリカに最初に旅をしたのが一九七五年だから、今年で三〇年目になる。これはまたモザンビークの独立三〇周年になるのだが、実は今回が初めてのモザンビーク入り。タンザニアに定住すると、なかなか他の国には行けず、行っていない国が多いのだが、初めての国というのは行く前からちょっと興奮する。久しぶりの新しい国、アフリカ一五ヵ国目。

なぜモザンビークに長いこと行かなかったかというと、独立直後から南ア支援の反乱軍との内戦が続き、地雷があちこちに埋設されていたこと、そして旧宗主国がポルトガルという言葉の関係が挙げられる。内戦も終了して一二年経過し、アンゴラと違って旧反政府軍も政党として選挙に参加して三回も経つし、安定してきたと言われる。日本のＪＩＣＡ事務所もでき、青年海外協力隊員も活動を始めている。

今回行ったのは、タンザニアから一番近いモザンビーク北部の海岸にある、モザンビーク島（イーリャ）という世界遺産にも指定された古い街。ポルトガル人の占領前からアラブ人などのインド洋交易の南縁を占め、スワヒリ都市国家のひとつと言えるかもしれない港町である。北部はモザンビークの解放闘争のとき、内戦の戦火を逃れてタンザニアに難民として流れた人が多いから、スワヒリ語が少しは通じるのではないか、またマコンデ彫刻で知られるマコンデ人は、ルヴマ川を挟んでタンザニア・モザンビーク国境地帯に分布するのだが、タンザニアのマコンデ彫刻はかなり商業的になっているから、もし素朴なモザンビークの彫刻が見られたら楽しいという野心一杯の旅だった。

イーリャは一〇世紀頃から歴史に登場するが、それ以前から西インド洋の季節風貿易の環の中で、そこに貿易商人たちの居留地があったことは想像に難くない。アラブ・ムスリム系の支配者が、キルワ（タンザニア）のスルタンの支配下で、ジンバブウェ〜ソファラから来る金・象牙の貿易を握っていたと思われる。伝説上の建国者の名前、Moussa bin Mbiki からモザンビークの名が生まれたといわれる（未確認）。

一四九八年三月のヴァスコ・ダ・ガマの来航がイーリャの運命を変えた。ポルトガルによるインド洋貿易支配・略奪の一六〜一七世紀には、イーリャはモンバサ（ケニア）と並び、ゴア（インド）航路の要路として栄えた。現在残るサン・セバスチャン要塞やサン・パオロ宮殿も、この時代に建設され、オランダやオマーン・アラブの攻撃に耐えた。今なお天水（雨水）を溜めるための樋、水路、溜池が維持され、水不足の付近の住民が利用している。

一九世紀末まで、イーリャにはポルトガル領東アフリカの総督府が置かれていたが、スエズ運

イーリャの教会（2020年、松井梓撮影）

河の開通（一八六八年）によりその重要性が薄れ、一八九八年ロレンソ・マルケス（現在のマプト）にその地位を奪われ、さらに一九五一年にすぐ北のナカラに深水港が建設されると、港としての存在も薄くなり、単なる地方都市に転落した。一九七五年の独立に伴うポルトガル人の脱出帰国も相俟って、往時の栄光を失い、寂れた町になった。独立から一九九二年まで続いた内戦の最中には、本土からの難民で人口は膨れ上がることになる。

一九九一年ユネスコの世界遺産に指定され、一九九七年に一一〇〇万ドルの予算が付き、町の補修事業が始まった。サン・パオロ宮殿やストーンタウン（旧中心街）の一部ではきれいに補修が終わり、サン・セバスチャン要塞の補修にも日本政府から二億円の予算が付いたというのが、町の人からの情報である。

町を歩いてみると、イーリャ北半のストーンタウンには確かにきれいに補修された家並みもあるが、そこかしこにサンゴ石が剥落して崩れた廃墟も見られ、かつてはあった様子の道路の舗装もないに等しく、まだまだ復興途上の感がする。頭にバケツを載せて水を運ぶ女たちの行き交う姿に水不足を感じる。ストーンタウンにある旅行者用のレストランは四軒、土産物屋も三軒しかなく、それも閉まっている時間が長く、開いていても客は私たちだけだったり、品薄だったりして、閑散としている。

ストーンタウンは気だるい眠ったような町だが、島の南半のマクティタウンには人が多い。女子供老人たちだけでなく、若い男たちも非常に多い。これは内戦の影響で、独立時七〇〇〇〇人ほどの人口が、内戦中には二万五〇〇〇人まで膨れ上がり、現在は一万五〇〇〇人ほど（数字は推定）だそうだが、前述のようにストーンタウンには空家が目立つのに対し、マクティタウンには家々がぎっしり軒を接している。

ガイドブックには、「ポルトガル風に、アラブ風、インド風、アフリカ風が混ざり合った街並み」と書かれている。ポルトガルに行ったことのない身としては、どれがポルトガル風かは分からないのだが、インド人、アラブ人の姿も少なく、はっきりインド風、アラビア風といえるのは少なかった（ヒンドゥー寺院やモスクはある）。ただそれらを受け入れたスワヒリ風というのがないことはない。ザンジバルを見慣れている目にはやや物足りない狭い通りや、外に縁側の出た民家の作りなどである。ザンジバル・ドアというにはおこがましい簡素な彫のドアを「スワヒリ風」と称していたが、おそらく需要もなく職人もいなかったのではないか……。ストーンタウンにはザンジバルのような三層、四層の

サン・セバスチャン要塞（2019年、松井梓撮影）

イーリャのストーンタウン（2019年、松井梓撮影）

建物はない。土地が広くゆったりしているといえばそうだが、それだけの富の蓄積も誇示もなかったのだろう。敢えて言えばかつて行ったコモロのストーンタウンの街並みを髣髴させる。

目に付くのは、赤、黄、緑、水色といった派手な色に塗られている建物。漁村も色とりどりで南国を感じさせる風景で、女性の服装も派手、開放的で、ザンジバルと違って目を楽しませる。混血の度合いも多いように感じられた。

この土地の人びとはどの程度職に就いているのだろうか？　おそらく産業は漁業、観光業、建設業（補修関連）、及びプチビジネスだろうが、どれも大勢の人を雇用するには至っていないだろう。目に見える観光業では、ホテル、ゲストハウスのベッド数は一五〇〜二〇〇くらいだそうで、それが生み出す雇用も一五〇〜二〇〇人ほどだと聞いた。閑散とした土産物屋を見ていても、まだまだである。「世界遺産」のプロジェクトが軌道に乗り、日本を始め各国の援助が入り、ストーンタウンがきれいに再生され、空家が埋まり、観光客が大勢来るようになって、町が賑やかになれば解決するのか？　観光業というのはある面寄生的なものであって、その恩沢を受ける者は、アフリカ諸国の場合は外国人投資家であることが多い。その場合、土地の若者たちからは、しつこい物売り、ガイドや浮き草的稼業を生み出すことになる。世界遺産が完全なる遺跡であったり、あるいは現代に活きているものならよし、イーリャのように死にかけていたとまではいかないが、眠っていた町を目覚めさせる場合は、その土地の人びとが歩む道程が難しいと感じた今回の旅だった。

■コラム■ タンザニア独立五〇周年

タンザニアは、二〇一一年一二月九日、独立五〇周年を祝った。外国からの賓客が参加したメインの式典は、ダルエスサラームのウフル・スタジアムで開かれた。キクウェテ大統領は、演説で「独立の時、イギリス人は舗装道路を三区間しか残さなかった。しかし、外部ではなく、私たち自身の力で、ほとんどの道路は舗装された」と胸を張った。開発屋らしい発言である。自力の部分と外国の援助による部分には触れられていない。

繰り返し語られたキーワードは「Amani na Umoja（平和と統一）」だったと思う。Umoja は政治家の用語だが、Amani というのはやはり民衆のいつわらざる気持ちだろう。「Makabila（部族）が一二〇あまりもあったのに」という発言がいくつかあった。

マスコミでも、過去を振り返る特集が盛んに組まれた。混迷した現在の国情を、ニエレレの思想・事跡を引用しながら叱咤するものが多かった。しかし、必ずしもニエレレ懐古、賛美の記事ばかりではなかったのが新鮮に感じられた。『The Citizen』と『Mwananchi』が、九月二八日から「独立五〇周年記念」シリーズを続けた。そのなかで、反TANU、反ニエレレの立場だった政治家の懐古など、従来だったら怖くて掲載できなかっただろうと思うような記事もあり、興味深かった。

五〇年の歩みは平坦であったわけではない。ザンジバル革命、同じ年の軍の不服従事件、ウガンダの独裁者アミンとのカゲラ戦争、総選挙時のザンジバルでの流血など、平穏を脅かされたことがないわけではない。

しかし、近隣の諸国が揃って内戦、クーデターを経験するなか、タンザニアは常に安定し、近隣諸国からの難民を一方的に受け入れてきた。タンザニアという国家が経済、保健衛生、教育などに対して不十分な成果しか挙げず、かつ役人、警察などの横暴、賄賂に悩まされても、国民がそれを一種の「必要悪」として許容してきたのは、機能している統一国家のありがたみを実感していたからであろう。

タンザニアが誇るべき最大の財産はAmaniだろうと思う。そのAmaniに不安や翳《かげり》が感じられる昨今、それを維持していく意思がタンザニアの潜在力なのだと思う。

「我われは長い道のりを歩んできた。まだ貧困との戦いは終わらないが、自信をもって前進できるだろう」という。為政者の意思が重要なことをニエレレは身をもって示した。しかし、国家を支えるのは民衆である。民衆はどこまで待てるのだろうか？　独立五〇周年に際して、二七年間タンザニアに住んできた人間として、さまざまに考えさせられた。

第四章　ザンジバル諸島とマフィア島

第13話 ザンジバルのタウンと村

二〇〇八年一二月一日

ザンジバルという場合、一般には三つの範囲が考えられる。広義には、タンザニア連合共和国の島嶼部と呼ばれていた、ウングジャ島とペンバ島の二大島で構成され、植民地時代はイギリスの保護領であり、一九六三年にはタンガニーカ共和国とは別の主権国家として独立したザンジバル共和国（一九六四年のザンジバル革命時にはザンジバル人民共和国）。ザンジバル共和国は国旗を持っている。二番目は、ペンバ島と並ぶウングジャ島をザンジバル島と通称している。外国人観光客はウングジャという呼称を知らない人が多い。三番目は狭義にユネスコの世界遺産に指定されているストーンタウンとその後背地であるガンボ地区などを含めたザンジバル市。行政上の区分ではザンジバル共和国には五つの州があり、その一つであるザンジバル都市西州の都市県に当たるザンジバル市である。

二〇〇二年の国勢調査では、ザンジバル共和国は約九八万人、ウングジャ（ザンジバル）島は六二万人、ザンジバル市は二一万人の人口を擁していた。今回のこの記事では、二番目のウングジャ島という意味で、ザンジバルと呼んでいる。ウングジャ島では、ストーンタウンを中核とするザンジバル市が唯一の都会である。それ以外の地域は後背地として、食料と労働力を供給する農村であった。

ザンジバル・タウンがいつごろから形成されたのか。一八二〇年代にマスカット・オマーンのスルタンであったサイードがその海上帝国の王都をマスカットからザンジバルに移すような形で、ザンジバルのストーンタウンの建設を始めた。現在のストーンタウンはその時代に始まる。ただ、スルタン・サイード以前にももちろん、現在の場所に町は存在していた。

ザンジバルという名前が歴史のなかに登場したのはいつか？　そしてそのザンジバルは前述の二番目の範囲を指すのだが、そのなかで三番目のザンジバル市の原型はいつごろ現れたのだろうか？　現在のザンジバル・タウンは完全に後背地とつながっているが、一九世紀まではシャンガニ半島が南の（ムナジ・モジャ周辺）細い道で本島とつながっており、北の方（現在のフングニ）から入り江が大きく入り込んでいて、後背地とは舟で行き来していた。今クリーク・ロードという南北に一直線に走る道路が、ストーンタウンと郊外を仕切っているが、そこが入り江の名残である。入り江が完全に埋められたのは二〇世紀も半ばになってからである。

さて、ザンジバルというのはもとは「黒人たちの土地」といった意味だが、その呼称は紀元前後からあったようだ。ただ、それはいわゆるスワヒリ海岸一帯を指す呼称で、現在のザンジバル市あるいは島と特定されない。ペルシア人、アラブ人たちがスワヒリ海岸に居留区を作ったのは、キルワ、モンバサ、ラムのように本土から切り離された沖合の島であることが多い。ウングジャ島自体が島であるが、そのなかでも入り江で大きく遮断されたシャンガニ半島を選んだのは、防衛上の理由だったのか。ともあれ、シャンガニに居住区ができたのは一二世紀といわれる。最初は漁村だったが、そのうち小さなスワヒリの町に成長する。当時（一三～一五世紀）、ウングジャ島全体を統一する王国はなかったが、シラジ系の首長たちが統治していたと思われる。一五世紀末から一六世紀初頭にかけて、ヴァスコ・ダ・ガマによる航海がおこなわれるが、モザンビーク、キルワ、モンバサ、マリンディの町は注目され、寄航あるいは襲撃などが試みられているが、ザンジバルは通過する島として描かれている。ザンジバルの都市としての重要性は、この時点ではまだなかった。

一六世紀にはポルトガルの勢力圏下に、シラジ系首長国が存在していただろう。一六一二年に現在のオールドフォートの場所に、ポルトガルの小さな教会が建てられた。一七世紀は西インド洋の覇権を巡ってポルトガルとオマーンの角逐があり、一六九八年のモンバサのジーザス砦の落城をもって、オマーンの勝利に終わるのだが、親ポルトガルであったザンジバルの女王ファトゥマの宮殿が、現在の「驚嘆の家」の場所にあったと言われる。一八世紀に入り、オマーンによりオールドフォートの建設など、都市国家としての枠組みができ上がる。

一八二八年にオマーンのスルタン・サイードがザンジバルに寄航して、ストーンタウンの建設が始まる。一八四〇年からスルタン・サイードは一一年間ザンジバルにとどまって、実質王都がマスカットからザンジバルに移された形となった。アラブ人とインド人によって作られたこのストーンタウンは、赤道以南の最大のメディナ（城砦都市）といわれ、サハラ以南のアフリカでは数少ない連綿として続いた都市であり、町衆による都市文化が息づいているといえる。ザンジバルの文化を外来のアラブ的、インド的なものでアフリカ的ではないと思っては大きな間違いとなろう。

　さて、ザンジバルのタウンの文化について触れるのは今回の目的ではない。タウンには一九世紀支配階級としてのアラブ人地主貴族階級、インド人商人、そしてイギリス人やアメリカ人などの外国人（商人、外交官）が住み着く。それにサービスを提供する労働者（職人、港湾労働者、ポーター、家内労働者など）も必要で、そのなかで少なからぬ部分を奴隷が占めていた。その人たちは現在のタンザニア本土だけではなく、遠くマラウィやコンゴなどからも連れて来られていたアフリカ人である。さらに後背地として、タウンの食料を供給し、ザンジバルの輸出品のチョウジ、ココヤシのプランテーションのある農村部にはさらに膨大な労働力としての奴隷人口がいた。

　イギリスなどの圧力で、ザンジバルの奴隷市場は一八七三年に閉鎖され、一八九〇年にイギリスの保護領とされると、奴隷制そのものも一八九七年に廃止される。奴隷制廃止後も、家内労働者は元の主人のもとに残った例が多く、また農村にいた奴隷がそのまま契約労働者になるのも主流だったようだが、農村に残るのを拒否して、都市に幸運を求めて流れた肉体労働者もいた。

　ザンジバル・タウンに仕事を求めてやってきた人たちは、ガンボ（Ng'ambo）と呼ばれるストーンタウンからは入り江を隔てた後背地に住み着く。ガンボというのは「川の向こう側」という意味で、ザンジバルのみならずスワヒリの町にはよくある地名だと思う。一八五〇年代、時のスルタン・サイードをはじめとした、数人のアラブ人貴族がガンボ地区の広大な土地をワクフ（イスラームの信託財産）として取得し、自分の奴隷や元奴隷を住まわせだした。その後一八七〇年代にはインド人関税徴収請負人サリア・トーパンなどの豪商が土地の購入を始める。泥と材木と草（編者注：ヤシの葉）葺きの家が立ち並び、無計画で不衛生な町が生まれだす。一八七〇年には既にガンボ地区の住民は一万人に達しており、ザンジバルという町の大きな部分を占めるようになっていた。

奴隷制廃止後、町へ流れ込んだ人たちもガンボ地区に住むことになる。一八九五年には一万五〇〇〇人の人口を抱え、ストーンタウンの人口を超えた。さらに一九二一年にはストーンタウンの人口の倍に達したと言われる。漁師、家内労働者、日雇い、ポーター、職人、家畜飼養、失業者（土地を失った農民）などが住み着き、またその出自も、アラブ人だけでなくいろいろなアジア出身者、イエメン、コモロ、マダガスカル、ソマリア、エチオピア、そして元奴隷であるマラウィ、コンゴ、モザンビーク、タンガニーカ出身者などなど。ストーンタウンがコスモポリタンな国際都市だったと言われるが、ガンボ地区の住民の国籍も多様で、というか、当時は国籍という意識はなかったのではないか。

一九二八年にガンボ地区で、大きな土地代反対のストライキが起こる。「ザンジバルは原住民のものだ。土地は最初からわれわれのものだ。なぜ土地代を払わないといけないのか！」というスローガンが語られる。タアラブの女王シティ・ビンティ・サアードがスワヒリ語でタアラブを歌い出したのもこのガンボ地区であり、その歌声を窓の外で聴いて育った少女ビ・キドゥデが今なお住んでいるのもこのガンボ地区である。ザンジバルの革命でアフリカ人の運動の発信地となったのもここだった。

ストーンタウンとガンボ地区を結んでいたのは最初は舟だったが、一九世紀に最初は木製の、次いで石製の、そして二〇世紀に入って鉄製の橋が架けられた。一九五〇年代までその橋は存在し、橋を渡っ

スワヒリ風の家屋

て通勤したという古い世代もいる。今はその地区はダラジャーニという随一のショッピングストリートになっている。ダラジャとは橋のことである。

ザンジバル革命後、ストーンタウンに隣接したミチェンザニ地区の古いスワヒリ風の長屋は取り壊され、中国の援助で五階建てのアパートが八棟建てられた。圧制から逃れた近代化の象徴だったが、一九八〇年代半ばには、水は四〜五階まで上らず、各戸ポンプで水をあげたり、女たちがバケツで運んだり、なかなか大変で、そのうちゴーストタウンになるのではないかと思った。土地がたくさんあるアフリカで、何でアパートなのかとも思った。ただ、実際に人口密度の高いザンジバル・タウンで、平屋建ては贅沢なのかもしれない。ミチェンザニのアパートの裏手には、平屋のスワヒリ風家屋が密集している。さらに一九八〇年代の後半からの経済の自由化以降、ザンジバルのタウン郊外は膨張していく。

ムゼーは一九五三年生まれで、ザンジバル政府公認のガイドであり、ふだんはタクシーの運転手をしているが、私たちのお客さんがやって来ればそれを受け入れて、ストーンタウンツアーやスパイスツアーのガイドをする。日本のテレビ局の撮影だとか、ダウ船のツアーのときなどにも、その豊富な人脈を活かして、大活躍する。いい加減な片言の日本語をしゃべる。

＊　＊　＊

ムゼーの住んでいる地区はザンジバル市の中ではかなり郊外で、伝統的なガンボ地区よりもさらに郊外のムペンダーエと呼ばれる新興住宅地区にある。ザンジバル空港にも近い。二〇〇二年の国勢調査では、住民は一万二〇〇〇人あまり。ザンジバルには珍しく区画整理され、道路もまっすぐ走っている分譲住宅地区である。ムゼーがここに家を建てて移り住んだのは一九年前だと言う。それ以前はガンボ地区に住んでいた。一九年かけて少しずつ家を建て増しし、家具を揃え、庭に果樹を植えてきた。まだゲートはできていない。次の目標だと言う。

ムゼーは敬虔なムスリムで、もちろん酒は飲まないし、断食もする。仕事の合間を縫って、街中のいたるところにあるモスクで礼拝をする。ラマダン中とか、祭日にはカンズを着て、コフィアを被る。ただ常にそういう格好をしているわけではなく、普段の仕事着はいわゆる洋装である。夫人も外出時はブイブイ（アバヤ）をまとうのだろうが、家庭内ではカンガ（編者注：衣類などに用いる布）を上下にまとっている。タンザニア本土でも農村には多い格好である。子どもは四人。一九歳の長女から四歳の末っ子まで、皆学校に通っている。

ムゼー夫妻と一番下の息子

　ムゼー夫妻は、肌の色はかなり黒いからアフリカ人と言っても不思議ではないが、タンザニア本土の内陸部の純粋なアフリカ人（という表現が正しいとは思えないのだが）と比べると、やや浅い。どこかで血が混じっているのだろうと思う。ザンジバルの庶民は先祖代々云々というのをどこまで意識しているだろうか？　ザンジバルの初代の大統領であったアベイド・カルメは親がマラウィ出身であったことは公然の秘密であったが、両親がザンジバル生まれであることをザンジバル国籍の根拠にすえようとした革命政権以降、ザンジバル人のアイデンティティはぎくしゃくしている。それは革命側というか、現政権与党を支持するかどうかという政治的判断にも関わるようだから、うかつには訊けない。
　さて、ムゼーの父母の出身はというと、東海岸のチュワカ村である。タウンから約四〇キロメートル。カルメ現ザンジバル大統領になって作られたという、ココヤシのプランテーションを抜けて行く新たな舗装道路を通って、わずか四〇分で村まで行く。先月行ったペンバ島北部のコンデからウェテへ抜ける旧国道は、植民地時代から放置されていてわずか一五キロメートルを一時間近くかけて走ったことを思い出すと、ウングジャ島とペンバ島への革命後の政権の関与の仕方を感じる。

チュワカ村は東海岸ではあるが、湾になっていてかなり遠浅で、海草も多く、透明度が低いためか、観光リゾートとしては評価は低い。一ヵ所、中級リゾートがあるが、イタリア人に貸しきられているとかで、一般人は予約できないという。ザンジバル人だが、ゴア系のクリスチャンの女性が受付をやっていた。チュワカ湾は湾になっているためか、マングローブ林がかなり残っていて、ジョザニ・チュワカ湾国立公園の一角を形成する。ジョザニ森は「炭を食う猿」として有名になった、ザンジバル・レッドコロブスが生息していることでも有名だが、その南のペテの海岸線では、マングローブの林を抜ける遊歩道がある。今回行ったチュワカ村ではあまり大きなマングローブ林は観られなかったが、湾をはさんだ対岸のミチャンヴィなどではマングローブ・ツアーがおこなわれているという。

チュワカ村にはその昔スルタンの離宮の一つがあった。暑い時期にはここに泊まり、タウンまで仕事に行ったという。暑い時期にスルタンが執務していたとはちょっと驚きだが、少し涼しいのだろうか。村は漁村で、ちょうど満潮に向かいつつある時刻だったので、舟がたくさん上がってきていた。舟はンガラワとマシュアという小型のダウ船である。海辺では網を繕う漁師たち、カニを持って売り込もうとする若者たちなどがいた。漁獲品はこの村で消費されるより、タウンへ運ばれるものが多い

漁網を繕う漁師たち

ようで、仲買人のものらしい車が点在していた。またジャックフルーツやマンゴー、パパイヤ、バナナなどの果物も市場では売られていた。

ムゼーの母方の親戚の家は、浜辺からすぐの所にあった。そこの住人は今タウンに住んでいるということで無人だったが、近所の親戚が鍵を預かって、時々通風しているからだろうか、空気がよどんでいることはなかった。建物自体は典型的なスワヒリの家で、外にはバラザという座る場所があり、入り口ドア二ヵ所には立派な彫刻が彫ってあった。いわゆるザンジバル・ドアである。中に入ると、居間の両脇に寝室が二室。寝室には使ってない家具が放り込んであって乱雑だったが、天井は高く、ボリティという太いマングローブ材が差し渡してあり、しっかりと作られ、床の高いザンジバル・ベッドが置いてあった。ウワニ（裏庭）には台所、シャワー、便所があり、きれいだった。なかなか快適な海辺の民宿

チュワカにあるムゼーの母方の親戚の家

生活が楽しめそうだった。

村で出会う人びとはたいてい知人、親戚が多く、頻繁に挨拶を交わす。年配者にはロンドンで働いていたという人が二人もいた。六〇歳代。革命後、どういう経緯でイギリスに渡ったのかは知らないが、当然立派な英語を話す。今はカンズとコフィアという完全なムスリムの格好だが、若きころはどういう青春をイギリスで送ってきたのか。私は人類学者ではないので、ムゼーの一族の出自、経歴、動向をいちいち尋ねることはしていない。二〇〇九年からムゼーの家とチュワカの村に泊まる「ザンジバル・ホームステイ」という企画を始めようと思っている。極めて趣味的なツアーで、参加は一人か二人まで。ザンジバルの庶民の近現代史が見えてくるかも知れませんね。

Karibu Unguja（ザンジバルへようこそ）！

参考文献

Garth Andrew Myers, 1995. The early history of the 'other side' of Zanzibar town", In: Abdul Sheriff Ed. *The History & Conservation of Zanzibar Stone Town*, Ohio University Press, pp.30-45.

Abdul Sheriff, 1995. An outline history of Zanzibar Stone Town, In: Abdul Sheriff Ed. *The History & Conservation of Zanzibar Stone Town*, Ohio University Press, pp.8-29.

第14話　ペンバ島

二〇〇八年一一月一日

モロッコの旅から一年近く経った。またタンザニアの国外のイスラーム世界に行きたいと考え、イエメンを狙っていたが、今年になってイエメンで邦人女性が拉致されたり、依然やや不穏な情勢もあるようだし、また何せ一週間以上まとまった時間が取れない状況から、ささやかに三泊四日でザンジバルのペンバ島に行ってきた。ペンバ島に行くのは実に一五年ぶりで、最近の状況を知りたかったこともあるが、一〇月一四日のニエレレ・デーにペンバ島に居たいという一種の助平心もあった。

ペンバ島はザンジバルで、ウングジャ島（通称ザンジバル島）と並ぶ二大島で、ザンジバルの人口の三七パーセントほどを占める。ザンジバルでは伝統的に外貨獲得の資源は香辛料であるチョウジだった。その八割以上はペンバ島で生産され、ザンジバルの経済を支えてきた。その収穫時期には多くの人手が必要で、一九世紀には奴隷労働、二〇世紀に入ってからは季節労働者によるきつい労働によって支えられていた。しかし、一九六四年のザンジバル革命以降、「干された」感で、政府の投資も後回しとなり、一九九〇年代から始まった観光開発にも大幅に乗り遅れ、道路、水道、電気といったインフラも、ウングジャ島に比べ大きな格差が存在し、若者たちは出稼ぎに行かないと暮らせない島という印象が強い。ちなみにペンバ島の人口はザンジバルの三七パーセントと書いたが、それは二〇〇二年の国勢調査の数字に基づいている。一九六七年のその数字は四六パーセントであり、その後四三パーセント（一九七八年）、四一パーセント（一九八八年）と確実に比率は下がってきており、ウングジャ島の人口増加と対比されよう。

ペンバ島は海上貿易で栄えた島だから、船で行きたいとダルエスサラームからセピデー（Sepideh）という船で向かうつもりだった。これは新潟鉄工所による造船であり、日本語の解説も付いている。土曜日の朝七時にダルエスサラーム港で乗り込み、途中ザンジバル港で一時間ほど停まり、ペンバ島の南端にあるムコアニ港に到着するのは一二時半ころの予定であった。ペンバ島にはいくつか港があるが、もっとも大きいのはムコアニ港である。しかし二日前に切符を買いに行ったら、故障して運航しないという。そうすると、ダルエスサラーム→ザンジバルはフェリーで行き、ザンジバルを土曜日の夜に出るセレンゲティという老朽船に乗れば、夜行で日曜日の朝にウェテまで行けると言う。迷ったが、一五年前と同じくチャケチャケに下りる飛行機で行くこととなった（これは後日分かったことだが、セピデーが運航しなかったのは、故障ではなく、給与の遅配に対し、船員たちがストライキを起こして、争議中であるためだった）。

飛行機の上から見下ろすペンバ島は乾季でも緑が濃い。降り立ってみると分かるのだが、それは大自然が残されているというのではない。自然林に近いのは北部のンゲジ森林保護区くらいで、それも革命前はインド人が所有していた製材用の森林を自然に戻しつつあるだけだ。島を除いて、あまり野生動物は残っていないようだ。ペンバ島は、ウングジャ島もそうだが、人口密度が高く、島の隅々までめいっぱい開墾されている。チョウジ、ココヤシ、ゴムの林（プランテーション）、マンゴー、バナナ、キャッサバ、イネが植えられている。

今回の旅の目的の中心は、ペンバ島の歴史遺跡だ。ペンバ島でちゃんと発掘調査された遺跡は四ヵ所で、北からいうと、チュワカ、マタンブウェ・ムクー、ラス・ムクンブー、プジーニである。今回は、マタンブウェ・ムクー以外の三ヵ所に行ってみた。皆、ヤシの林やバナナやキャッサバの畑が隣接しており、保存状態は悪いが、一部補修が始まっていた。

ペンバ島が歴史に登場するのは、紀元のころだろうか。ラス・ムクンブー遺跡のガイドは、沖合の島に五世紀の遺跡があると言っていた。五世紀と言えばイスラーム以前の話である。ラス・ムクンブー遺跡は九世紀以降のものと言われる。『キルワ年代記』（*The Kilwa Chronicle*）は一〇世紀の歴史を反映していると言われるが、ペルシアのシーラーズから船出した七艘の船の内の一艘がペンバ島に到着したと言われる。北はソマリアから南はタンザニア南部までのスワヒリ海岸に植民された都市国家群のひとつという位置づけである。

ウェテから北へ、コンデへ向かう新道沿いにチュワカ遺跡はある。幹線道路をそれて細い道をたどっていくと、両脇にはキャッサバ、バナナが多く、農民が耕している。そのうちに海が見え出し、ヤシの林の中に遺跡はある。拍子抜けするほど小さく、かつ崩れたモスクが二つと墓の遺跡であり、ガイ

チュワカ遺跡

ラス・ムクンブー遺跡

ド（管理人）もいない。この遺跡は一八世紀モンバサのマズルーイ家の代官に当たる者の宮殿跡だと思われる。それ以前の一五世紀の遺構（プジーニ遺跡の支配者の息子）もあるはずだが、叢《くさむら》の中で分からなかった。

チャケチャケの町から南東に二〇分ほど車で行ったプジーニの遺跡は保存状態がかなり悪かった。伝説ではスルタンの二人の妻を、宮殿内に別々に住まわせ、井戸に水汲みに行く時も、お互いの顔が見えないように板で隔てていた、といわれる一五世紀の遺跡である。その残虐性で、ケニアやコモロなどの近隣まで悪名をとどろかせたムカメ・ドゥメが、多くの人間の強制労働で築いた宮殿の跡といわれる。車を停めて歩き出すと、周囲はココヤシのプランテーションで、鉄条網が張り巡らされている間の小道をたどると遺跡に着く。ほとんど草生していて、補修されている気配もない。全部見終わって帰るときに管理人と称する男が登場し、入場料を請求された。

チャケチャケの町から西へ突き出したムクンブー岬にある遺跡が、今回見た遺跡のなかではもっとも保存状態はよかった。舗装道路を一五分ほど走り、ウェシャの村から未舗装道路をさらに二〇分ほど走り、終点の部落で車を停め、そこからマングローブやボラサスヤシが生える海辺の道、塩田や養殖池を通り抜けて、炎天下、日陰のほとんどない道を二〇分ほど歩いて、遺跡に到達する。考古学担当のガイドと近隣の村の若者がいて、補修をしていた。モスクと墓がまぁまぁ保存されているのだが、町の規模としてはせいぜい二〇〇~三〇〇人程度ではないか。全部の遺構が発掘されているわけではないので、確かなことはいえないが、さほど大きな都市国家ではなかったのではないかと思われる。

ウェテの町

一三～一四世紀の遺跡とされている。遺跡が整備され、チャケチャケの町からボートで行けるようになると、近いし楽しいかもしれない。

現在、ペンバ島の首都になっているチャケチャケに歴史博物館がある。旧ポルトガル時代（？）、その後モンバサのマズルーイ家の支配の砦跡のほんの一部に、小さな博物館がある。そこにヴァスコ・ダ・ガマをはじめ、歴代のザンジバルの支配者たちの肖像、写真が飾ってあるのだが、驚いたことに、独立ザンジバル政府の最初の内閣の写真があった。つまり一九六三年一二月、スルタンを元首とする君主国としてザンジバルは独立し、そのわずか一ヵ月後の一九六四年一月一二日に起こったザンジバル革命で、その政権は転覆し、スルタンや多くのアラブ人は亡命し、あるいは虐殺されたのだが、その転覆された内閣の閣僚の写真が飾ってあった。最後のスルタン・ジャムシッドはともかく、首相だったモハメッド・シャムテ〔ZPPP（ザンジバル・ペンバ人民党）〕や外相だったアリ・ムフシン〔ZNP（ザンジバル国民党）〕の写真は、私は初めて見た。これはペンバ島だからなのか、私が今まで無知だったからなのだろうか。余分だが、革命後のA・M・バブー（編者注：ザンジバル革命における急進派の代表）の写真はなかった。

私が驚いたのは、ザンジバル革命後、以前のZNP＝ZPPPの歴史は抹殺されていたと信じていたからだ。ザンジバルの小学校で、歴史教育は革命後二〇年以上おこなわれていなかったと思う。「反革命」とみなされた歴史は無視され、語られなかった。ペンバ島は革命後権力を握ったASP（アフロ・シラジ党）から見れば、反革命の地だから、無視され、弾圧され、放置されてきた。ウングジャ島と比べて、道路、電気、水道といったインフラが明らかに立ち遅れており、そこに意図的なサボタージュが見られる。

一九九三年にタンザニアに複数政党制度が再導入された際に、ザンジバルではCUF（市民統一戦線）という強力な野党が誕生した。それはCCM（革命党）政権下でザンジバル政府首相まで務めたセイフ・シャリフ・ハマドというペンバ人の希望の星を指導者にいただいた政党だった。詳細は省くが、「血で購《あがな》った革命の成果を、紙＝投票用紙なんかで奪い返されてたまるか」とするCCMとCUFが激しくぶつかり、CUFの強固な地盤となったペンバ島の若者たちが大勢迫害され、殺されたことは間違いない事実である。ペンバ人はいつまで我慢しないといけないのか。

革命の前、ペンバ島でもっとも栄えた町である北部の中心地ウェテの町は寂れた感じがする。

一九九三年、ペンバ人の友人の実家を訪ねた時も、「元々は栄えていたんだろうな」と感じたのだが、一五年ぶりに訪れた今回もあまり変わっておらず、時間が停滞している感じがした。土曜日の午後に着き、日曜日で街中のオフィスや店もほとんどしまっていたから、余計寂しく感じたのかもしれない。月曜日の朝になって、多くの店が開いて、往来する人びとも増え、少し活気づいて見えたが、店に並んでいる品数を見るとやはりささやかである。

ウェテからさらに北にンゲジ森林保護区や、ヴマウィンビ海岸、マンタ・ビーチリゾートといった観光地に向かう場合、コンデという町を通過するのだが、ウェテ〜コンデ間の最短の旧道は状態が悪く、ほとんどのダラダラ（乗り合いバス）は大きく迂回して（おそらく距離は三倍近くある）新道を行く。コンデからの帰り道、運転手に頼んで、旧道を走ってもらった。かつて舗装されていたのが壊れて、いたるところで舗装がはがれている道路は非常にたちが悪い。下手すると破損している舗装の肩でタイヤが裂けるから、できるだけ路肩を外して、未舗装部分を走る。車が消耗する。若い運転手の記憶では、小さいころからこのままの状態であったという。というとつまり革命後に直したわけはないから、植民地時代からそのまま補修されていないということなのだろう。

このコンデ〜ウェテ間は、チョウジ林が続いていて、幹線道路沿いの農家の庭には、摘み終わったチョウジの実がござに載せられ天日に干してある。通り過ぎるだけで強い香りが漂う。最初緑の実が、次第に赤くなり、最後はかなり黒っぽくなる。スルタンのペンバ島での離宮もかつては存在したし、豊かな農村地域であったはずである。その地域が見捨てられているように感じられた。

今、世界市場のチョウジの価格は再上昇しているようだから、しっかり品質管理をし、流通を整備すれば（官僚の中間搾取を排除できれば）、ある程度の収入は確保されるのではないか。ココヤシもゴムもそこそこはいけるのではないか。ウングジャ島のように観光開発に傾斜し、裸のようなイタリア人たちが街中を闊歩するだけが、開発ではないだろう。美しいサンゴ礁を売り物にするのはいいとして、野生動物も限られているから、やはり環境に適応した農業で自立できないものかと、無知な第三者は夢想してしまう。海草養殖も可能性があるだろうか。

ウェテに代わって、ペンバ島の首都となったチャケチャケの町は、それなりに活気があった。ウェテの町では目抜き通り沿いの建物のオフィス、店は半分は閉まっていたが、チャケチャケの市場を中心とした繁華街の店はほとんど開いていて、また店の品数もそこそこ豊富だった。ペンバ・アイランド・ホテルとか、ペンバ・クローヴ・インといった高級ホテルもできていた。援助関係の外国人や、おそらく本土政府から来たタンザニア人が投宿していた。

チャケチャケの町も小さいから、三〇分もかければ全部回れそうな広さである。新しい高級ホテルから、県庁のある丘の上にあがっていく道沿いに入り江が入り込んでいて、マングローブの林が残っている。干潮時にはンガラワという漁船は陸に上がっているように見えるが、満潮になるとンガラワは船出する。魚市場も漁師用（?）のモスクも入り江にある。干潮時には魚を売り終えた漁師が涼しいモスクで午睡を取っている。以前から、そして今も、魚だけではなく、マングローブ材やその他の物資が、入り江の奥まで入ってこられる小型のダウ船（マシュア、ンガラワ）によって運ばれてきたのだ。

農家の庭に干してあるチョウジ（クローブ）

チャケチャケの入り江

イギリスの植民地時代の、第一次世界大戦、第二次世界大戦のときにも「戦時統制」はあったろうし、ザンジバル革命の後の強権的な社会主義時代にも、ペンバの富であったチョウジやココヤシの統制をしようとしたはずだ。その際にペンバ民衆の大いなる味方になったのは、ペンバ島を覆うサンゴ礁、マングローブの林だっただろうと思われる。チャケチャケだけではなく、いたるところに入り江はあり、小舟は接岸できる。夜間のダウ船貿易を統制するのは今なお難しいだろうと思われる。ウングジャやペンバの人びとに「海の市民たち」（根本利通 二〇一一参照）の末裔は多いのであろう。

ペンバには三泊四日いただけで、スワヒリ語で旅行しているし、通貨も同じなのだからもちろん国内旅行なのだが、ふと外国に来ているような錯覚に襲われたことがあった。それはどこから来ているのだろう？ 外国人（観光客）が少ない、アルコールが街中の最高級ホテルでも飲めない、外国人どころか地元の人が食べられるレストランがほとんどないということもある。また、小学生でも女性はスカーフをしているし、大人の女性は顔を完全に隠すヴェールをしている比率が、ダルエスサラーム、ウングジャと比べてもかなり高いということもある。ただそれよりも、時間の流れが、ダルエスサラームやウングジャとは違うということかもしれない。

一〇月一四日、ラス・ムクンブー遺跡に行った際に、ガイドとして付いてくれた地元のペンバ人は、ニエレレの演説をわざわざラジオのチャンネルを変えて聞いていた。ニエレレの演説は面白いと。その時流れていたのは、「汚職の防止」と「南部アフリカ解放のための前線諸国議長としてのニエレレ」の話だった。そのガイド（三〇代前半か？）は、今はやや流行遅れになっている九〇年代のリンガラ音楽を非常に喜んでいたけれど。若い世代のニエレレに対する認識がどうなのかは、分からなかった……が。

参考文献

根本利通『タンザニアに生きる』（昭和堂、二〇一一年）。

第15話

秘境 トゥンバトゥ島

二〇一七年二月一日

昨年末、トゥンバトゥ島に行ってきた。といっても日帰り、それも滞在正味三時間弱ではあるが。一九七五年八月にタンザニア・ザンジバルを初めて訪れてからもう四〇年以上経つが、実はトゥンバトゥ島は初めてである。トゥンバトゥ島はザンジバル諸島のなかでは、ウングジャ(ザンジバル)島、ペンバ島に次ぎ三番目の大きさであるがかなり特殊な島で、外国人には渡航許可が必要と言われ、情報がほとんどなかった。一九七五年にダウ船の調査許可を持った英国人が、トゥンバトゥ島になかなか渡れなかったという記述を残している。ペンバ島からの漁民の移住者が住み着いた島と言われたり、その先祖はペルシアのシーラーズからの移住者という伝説もあり、古くから人が住んでいたことは間違いない。

昨年、トゥンバトゥ島に自生するヤシの生態を見たいという研究者がいた。しかし、二〇一五年一一月のタンザニアの総選挙、そしてそのザンジバル部分が無効・再選挙(二〇一六年三月)となったことをめぐって、主要野党の強力な地盤であるペンバ島の住民を中心に不満が渦巻き、一触即発の状

ムココトニの浜の船溜まり

況にあった。トゥンバトゥ島もペンバと同じく伝統的な野党の地盤であるため、似たような状況だと言われていたので行くのを止めていた。しかし、ある大学の学生がスワヒリ語のトゥンバトゥ方言を求めて島に渡って一泊してきたと聞き、情報を再確認し、渡航許可は不必要とわかったので、ヤシの研究者を誘って年末に出かけたという次第である。

トゥンバトゥ島に関する情報、特に渡航許可が必要かどうかを気にしていた時に、たまたま、九月にスワヒリ語の新聞に二日間にわたって、「国のなかの国、トゥンバトゥ」という記事が連載された。タンザニア人の女性記者がトゥンバトゥに行こうとして、ムココトニ（対岸の町）で「誰を訪ねていくのか？」と船頭たちに訊かれ、「誰も知り合いはいない」と答えたら、絶句されたという話から始まっている。そして知り合いの知り合いを紹介してもらって、「文化のことだけしか訊かない」という約束で訪ねていっても、島ではまた「何をしに来たのか?」と訊かれたという。タンザニア人にとってもトゥンバトゥはよそ者を入れない秘境なのだ。

前置きが長くなったが、トゥンバトゥ島に渡るには、対岸のウングジャ島のムココトニから船で行く。引き潮の浜辺には大小数十艘の船が並んでいた。伝統的には帆を張ったダウ船で、それも多くあったが、私たちは時間を稼ぐために小さなエンジンを付けたボートをチャーターした。正確には、ウングジャ島在住の知人に手配を頼んだのだが、その人も生まれてから一度も(つまり六〇年以上)行ったことがないとのことで(ザンジバル人にとっても秘境?)、姻戚の人にまた頼み、トゥンバトゥ島在住でムワリムさんと呼ばれる先生が島の船頭と話をつけてくれたのだ。

ムココトニからトゥンバトゥ島まで約二五分くらいだったか、波も穏やかであまり揺れなかった。島に近づくと帆を張った漁船が十数艘見える。島の主要産業は漁業で、獲れたものをムココトニだけではなく、ザンジバルのタウン、タンガ、あるいは遠くダルエスサラームの魚市場まで運ぶという。ムココトニの魚市場には大物はエイとかサメくらいしか見かけなかったが。漁船はンガラワという両側でバランスを取る丸木舟と、マシュアという小型のダウ船のようだった。トゥンバトゥ島ではダウ船建造は伝統的産業で有名だ。またトゥンバトゥ人は、漁師以外にもダウ船のクルーの供給源としても知られ、いまなお盛んに航海している沿岸ダウ船のクルーに多いといわれる。

上陸したのはジョンゴウェという村の浜だった。近づくにつれ、浜辺で泳いでいる男の子たちの数が多いのに気が付く。お客を満載してすれ違うエンジン付きボート。ヤシの木陰で船を待っていた人

トゥンバトゥ島の漁船

たちが私たちのボートを目指してどっと浜辺に下りてくる。小さな島なのに人口が多い感じがした。これは村に上陸してから分かったのだが、前日とその日（一二月二七〜二八日）、トゥンバトゥのマウリディ（編者注：預言者ムハンマドの生誕祭）というお祭りで、島出身者が多く里帰りしていたらしい。

私たちが着いたのはジョンゴウェだったが、島にはもう一つ村があり、そのより大きな村はゴマニといい、地図でも船のルートはそのゴマニに行くように記載されている。私たちはそんなことも知らず、紹介されたムワリムさんの在住の村に案内されたのだろう。暢気なものだ。トゥンバトゥ島は、南北八キロメートル、東西二キロメートルと細長い島だ。ゴマニは東岸の中央に位置するが、ジョンゴウェは南西端にあり、私たちはムココトニから島を回り込んでいった形になった。

浜辺に降り立つと、すぐにモスクがあり、手足を清める水がたんたんと湛えられている。傍にダウ船の造船所があり職人たちがいた。バガモヨのカトリック教会の庭にある樹齢一五〇年のバオバブより太いかもしれないと思わせる巨木の下で、漁師たちが網を干したり繕ったり、午睡していたりするなかを、村に向かう。野党のシンボルカラーがあちこちに見られる。診療所や学校がある。強制されたわけではないが、村のシェハ（sheha＝村長のようなもの）に最初にあいさつに行く。外国人が勝手に動き回ったり、写真を撮っているのを気にする村人たちがいるだろうと思うから。シェハはニーザ・アリ・シャリフという女性だった。これは予想外だったが、旅の後に読んだ本ではトゥンバトゥのシェハには女性が多いと書かれてあった。

シェハの家で、この村、そして島の情報を聞く。村の人口は五七七〇人とのこと。もう一つのゴマニ村の方が大きくて一万人くらいいるから、島には一万五〇〇〇人以上の人が住んでいる。主要産業は漁業で、農業は自給自足程度で、キャッサバ、トウモロコシ、マハラゲ（インゲンマメ）、ササゲ、野菜など。電気と水道はウングジャ島から海底ケーブルで引かれているが、全世帯にはいきわたっていない。煮炊きにはガスや電気は使わずもっぱら薪を使っている。その伐採のため森林が減少しているので植林もしている。学校はシェハが学んだ時には二つの村の境のあたりに一つしかなかったが、今は各村に小中学校併設の学校が一つずつあるとのこと。シェハの家にはまん中の天井がなく、雨どいから引いて水を溜めるようになっていたのが印象的だった。

シェハにこの島の歴史、遺跡の説明をできる人を紹介してくれと頼んだら、長老とまではいかないが五〇代の男性が来てくれた。一種のシラージ伝説（後述）のようで、現在残されている遺跡は一二〇三年に移住してきたユスフ・アブダラーが造ったもので、船を泊める所、避難港を探しにやって来たのだという。ほかのアラブ人もすでにトゥンバトゥ島やウングジャ島に住んでいたらしい。ユスフはマクタニという地に定住して仕事を始めた。仕事というのは商売＝交易だったらしい。交易に使われたというサザエのような貝を見せてくれる。ユスフが移住してから三五年経った後、ほかの町との戦争が始まった。ゴンバニとマクタニとの争いは、東アフリカ最初の戦争だという。マクタニには五六の家と三つのモスクがあった。ザンジバルで一番古いモスクだと語る。

この話は書物にも出てくる。ペルシア湾岸のバスラからやってきたユスフ・ビン・アラウィが、一二〇四年マクタニに町をつくった。大陸からチョンゴというアフリカ人のグループが海を渡ってきて、島の南端のチョンゴウェに住み着いた。ユスフは新来者を殺そうとしたが、彼らは隠れてしまった。その後、アラブ人たちが襲撃してきて、町を破壊し、多くの住民を奴隷とした。生き残った人びとがチョンゴの人びとと結んだのが、現在のトゥンバトゥの人びとの祖先となったというものである。チョンゴウェとジョンゴウェは重なりそうだ。ただ、アラウィ一族というのはイエメンのハドゥラマウト出身であるはずだといわれていて、どこかに伝説の混同があるのかもしれない。

男性に話を聞いてからシェハの家を出て、遺跡に向かう。歩くのかなと思ったが、浜に下りてボートで行く。地図上ではマクタニ遺跡とか、シラージ遺跡とか表記されている。海岸に沿って数分走ると断崖の上にイクルと呼ばれる遺跡が見えてくる。イクルというのは現在のタンザニアの大統領の公邸をそういうが、スルタンの宮殿など統治者の住居区を意味する。建物の礎石の跡が点在しているが、住居の様子はあまりうかがえない。もう少し発掘を進めれば見えてくるのか、あるいは風化が進んだ小さな遺跡なのか。ウシが灌木のなかに放牧されていた。

イクルの跡を終えて、再度ボートに乗ってモスク跡に向かう。これは海上から眺めるとかなり高く、立派な遺跡のように見える。上陸してみるとイクル遺跡よりはしっかりと残っていた。モスクにつきものの井戸に子牛が落ちていて悪臭を醸していたのは艶消しだったが。対岸のウングジャ島の姿に向かってモスクの跡が広々として立っており、ミフラーブ（編者注：聖龕《せいがん》。メッカの方角を示すキブラ壁の窪み）や文様もわかる。ウングジャ島の南部のキジムカジにあるペルシア風モスクが一一〇七年創建でザンジバル最古ということになっている。これも旅の後に読んだマーク・ホートンの文によれば、このトゥンバトゥのモスクにも同じペルシア風の文字の刻印が残されていて、おそらくキジムカジのモスクの刻印と同じ職人の手によるという。またイランのシーラーフ（シーラーズの外港）の墓石から同じようなスタイルの刻字が発掘されたという。

シラージ伝説というのがある。タンザニア南部の最大の都市国家だったキルワと共通するもので、一〇世紀、ペルシアのシーラーズからの宗教的避難民が七艘の船に乗って移動し、スワヒリ海岸の七つの都市国家を築いたという伝説だ。その七つの都市のなかにはトゥンバトゥは入っていないはずだが、共通の伝説に彩られている。『キルワ年代記』によれば、キルワ国家の創建は九五七年と推定されている。ペルシア湾岸から伝説のように一気にザンジバル、マフィア、キルワ、コモロの島々に渡航したのではなく、北東部のソマリア海岸から、ケニア北部のラム、パテ、あるいは南部のマリン

マクタニ遺跡のイクル

モスクの跡からウングジャ島を望む

ディ、モンバサを経由し、タンガやペンバ島などを通過して、ウングジャ島周辺そしてマフィアやキルワといったタンザニア南部に移住してきたのだろうと思う。

そして、ペルシア人あるいはアラブ人がそれほど大量に移住してきたのではなく、紀元前から行われてきた季節風交易で生まれていた居留地に寄港し、風待ちをしながら寄食し、次第に定住していった。そこにもともとから住んでいた人びと、クシュ系やバントゥー系の人びとと通婚し、文化的な混淆が生まれ、イスラーム以降はその影響力が強まったスワヒリ文化の祖型が生まれていったのだろうと思う。キルワのフスニ・クブワや大モスク、マクタニ宮殿などの世界遺産である壮大な遺跡に目を奪われるが、その周辺には現在発掘されえない一般の民衆の住居があったのだろう。その人たちは大陸本土からやって来た（連れてこられたのではない）漁撈民・農耕民であったのだろう。キルワなどではアラブ系・ペルシア系の血を引く人たちはかなり少なくなってしまったように見える。その点、ウングジャ島、ペンバ島には一九六四年のザンジバル革命以降大幅に減ったとはいえ、まだはっきり目に見える形でアラブ系の人たちは残っている。さて、シラジと自分を意識する人たちは何者なのだろうか？

ザンジバルの独立前の一九四八年の国勢調査でシラジと分類されていた人たちは、総人口二六万四一六二人中の一四万八四八〇人で五六・二パーセントを占める多数派であった。次いでアフリカ人一九・五パーセント、アラブ人一六・九パーセント、インド人五・八パーセント、その他（コモロ人、ゴア人、ヨーロッパ人など）一・六パーセントとなっている。アフリカ人というのはこの場合、大陸本土から来た人たちということで、旧奴隷の子孫とか、大陸からの出稼ぎで来て住み着いた者を指す。シラジを自称する人たちは、彼らと自分たちを区別しているのだ。そのシラジをさらに分類するとハディム人、トゥンバトゥ人、ペンバ人となっている。ハディム人はウングジャ島の南部・中央部・東部に多く、総人口の一五・八パーセント。トゥンバトゥ人は、ウングジャ島北西部、トゥンバトゥ島、ペンバ島南部に住み、総人口の一七・五パーセント。ペンバ人はペンバ島の中央部、北部が原住地で二二・九パーセントを占めている。

ザンジバルの独立運動の過程では、アラブ人主体のZNPとアフリカ人主体のASPが激しく対立し、中間層であるシラジの支持を求めて駆け引きをおこなった。単純化するとハディム人はASPに付き、トゥンバトゥ人とペンバ人はZPPPを結成してキャスティングボートを握り、ZNPと連合して独立時（一九六三年一二月）の連立政権の首相を出した。それをひっくり返したのがザンジバル革命（一九六四年一月）であり、それ以降しばらくの間、ペンバとトゥンバトゥの人びとは「反革命」とされ、外国人の往来も開発予算も制限されていた。

トゥンバトゥについて、前述した一九七五年にダウ船調査のために渡航しようとして苦労した英国人エズモンド・B・マーティンは次のように書いている。「トゥンバトゥの人びとは革命とカルメ政権に反対したため、開発予算の割り当てが少なく、その結果今や、私が見たタンザニアのいかなる地域と比べても最も貧しい。……私が動くと後をついてくる数百の大人も子どもたちも茶色っぽいぼろのようなみすぼらしい服を身にまとっている。ゴマニは魅力のない密集した村である」。しかし、直近（二〇一五年）の総選挙では、トゥンバトゥ選挙区では接戦だったが、与党（ＣＣＭ）候補が勝利しているので、今は圧倒的な反政府地盤でもないようだ。

モスク跡から、ムココトニを目指して海峡を渡る。満潮になっていて、しぶきが体にかかる。ムココトニからは中型の汽船がやってくる。今日お祭りのもう一つの村ゴマニに客を運ぶのだそうだ。それ以外の小さなボートも乗客を満載してすれ違う。往路は遠浅の浜を長く歩いたが、復路は市場や倉庫がある浜の突堤の階段のところにボートが着いた。

ムココトニの浜に上がったら、おまけが待っていた。幹線道路の市場と店が並んでいるところに三〇人くらいの男衆が旗の下に集まり、体を揺すりながら声を上げていた。集団の中の様子は見えなかったが、リーダーはカスタネットのような音が出るもの（おそらく木）を鳴らし、男衆はそれに合わせて体を上下に揺すり、おそらくアラビア語の掛け声をかけている。歌とも踊りとも祈りの儀式とも言えないようなものだが、なにやら楽しそうに熱中している。年配者もいるが若い男たちが多い。結社の結団式で気勢を上げているという案配だった。多くがコフィアではなくキレンバという布を頭に巻く正装なのだが、その巻き方がオマーン風ではなくイエメンのハドゥラマウト風のように見えた。

その迫力に度肝を抜かれ、口をあんぐりして眺めていたら一〇分ほどで終わったろうか、浜に向かいだした。同行者たちは動画を撮っていたのだが、浜に向かう一行のなかで「あいつらは写真撮っていたけど、金払ってくれるのかな」としゃべっている若者たちがいて、いきなりザンジバルの現実に引き戻された。私に話しかける男がいて「今晩お祭りだから来いよ」と誘う。「いや、今ジョンゴウェ

ジョンゴウェからムココトニに戻るボート

ムココトニで気勢を上げるトゥンバトゥ島出身の男たち

から帰って来たばかりだから」と答えると、「今度はゴマニだ。面白いから行こうぜ」とまた誘われた。トゥンバトゥ出身の出稼ぎの若者たちの心躍る帰省なのだろう。

もう半世紀以上も前の出版だが、トリミンガム著『東アフリカのイスラーム』という書物がある(Trimingham 1964)。そこにトゥンバトゥの宗教(イスラーム)の状況が触れられている。その記述が今でも有効かどうかは不明だが、「トゥンバトゥ島ではスーフィーのカーディリー教団の一派が有力でキラーマと呼ばれる。その入団式で、導師に向かいお辞儀を二回繰り返した後、太ももに触れ、こぶしを握る」(一〇〇ページ)とあった。似た雰囲気・宗教的昂揚を感じさせる光景であった。ズィクル(編者注:神の名を唱えて神を讃美すること)というのも違うようだし。トゥンバトゥのマウリディはほかの地域と違って特別なようで、今回はイスラーム暦の三月(ラビー・ウル・アッワル月)の二七〜二八日だった。本で調べてもよくわからず、もう少し謂れを聞いてくれればよかったと後悔している。

同行者(金山麻美氏)によるブログも、参照してほしい。「ザンジバルの不思議なトゥンバトゥ島☆その一」(https://57631919.at.webry.info/201701/article_1.html)および「ザンジバルの不思議なトゥンバトゥ島☆その二」(https://57631919.at.webry.info/201701/article_2.html)。何とも心に残る小サファリだった。

参考文献

Mark Horton. 1990. Digging up Zanzibar. *Tanzanian Affairs* 35.

Esmond Brandley Martin & Chryssee Martin, 1978. *Cargos of the East*, Elm Tree Books.
Johannes Masare, 1969. Background to the revolution in Zanzibar, In: Isaria N. Kimambo & Arnold J. Temn Eds., *A History of Tanzania*, East African Publishing House.
西野太郎「アラビア語写本『キルワの情報に関する慰めの書』についての基礎的研究」（中央大学修士論文、二〇〇三年）。
Abdul Sheriff, 2010. *Dhow Cultures of the Indian Ocean*, C. Hurst & Co..
John Sutton, 1990. *A Thousand Years of East Africa*, British Institute in Eastern Africa.
John Spencer Trimingham, 1964. *Islam in East Africa*, Clarendon Press.
Mwananchi, 2016 (Sep. 26-27)

第16話 マフィア島

二〇〇九年一〇月一日

マフィア島。インド洋に浮かぶタンザニア領の島のなかでは、ウングジャ島、ペンバ島に次いで三番目に大きい。というか、この三つの島が三大島だろう。マフィア島はマフィア群島の主島で、群島には名前が付いている島や砂洲など小さなものが一五くらいあるようだ。群島全体の面積は一五〇〇平方キロメートルくらい、そのうち、マフィア海洋公園（ＭＩＭＰ）に指定されている領域は約八二二平方キロメートルで、マフィア主島は六〇〇平方キロメートルくらいだろうか（正確な統計が見つからない）、日本でいうと淡路島くらいの大きさである。人口は四万八〇一人（二〇〇二年国勢調査）。行政区分はタンザニア本土コースト州マフィア県で、島で一つの県をなしている。タンザニア本土にある一一九の県（二〇〇二年当時）で、最も人口が少ない（ザンジバルを含めると一二九県の内、ザンジバル南部県に次ぎ下から二番目）。

インド洋に浮かぶ島であるのに、タンザニア本土に属していることに注目されたい。つまり、ザンジバルの側ではないのだ。この島も紀元前後から、インド洋西海域の季節風貿易の中で小さな都市国

海から見たマフィア島

家を成長させ、イスラームを受け入れ、また一九世紀にはザンジバルのスルタンの支配下に置かれていた点ではペンバ島、ウングジャ島と共通しているが、植民地支配の過程で歴史の歩みが変わってきた。

マフィア島の歴史がまとまって書かれているものはよく知らない。古いものでは一九四一年に出たピゴット（Piggott）著『*History of Mafia*』、さらに最近の発掘の結果をまとめた一九九七年発行のワレー（Walley）著『*Chole History and Mafia in General*』が出ているようだが、入手できていない。

紀元前後の状況は『エリュトゥラー海案内記』（村上訳、二〇一一年）のなかから想像される。紀元前からインド洋西海域では季節風貿易がおこなわれていたが、そのなかではっきりマフィア島と特定できる場所はないようだ。伝説の町ラプタの対岸にある島がマフィア島の候補だが、ラプタ自体が特定されていない。マフィア島の候補と思われるものは、

Menouthias島と記載されているが、それがマフィア島なのか、ウングジャ島なのか、ペンバ島なのか、あるいは全部をひっくるめてなのかは結論が出ていないようだ。

一六世紀に書かれた『キルワ年代記』にもマフィアは登場する。『キルワ年代記』にはペルシアのシーラーズ出身の一族を運んだ七艘の船が、スワヒリ海岸のそれぞれの都市国家の始祖になったと記されているが、マフィア島はそのうちのキルワの始祖の子孫が始めたとされている。一〇～一一世紀のことだ。この時代に最初に作られた小規模な入植地は島の南西部のキシマニ・マフィアと呼ばれる土地だ。行きたかったが、七月は波浪が荒いこと、この遺跡はもう半分くらい水面下に没していて、見るのが難しいとガイドに言われ断念した。二番目の町であるクアが建設されたのは一三世紀ころだといわれる。

ポルトガル人による大航海時代（一五世紀末～一七世紀）の記録には、はっきりとマフィア島は登場する。ヴァスコ・ダ・ガマの一四九八年の第一回目の航海では、案内人の意図によりキルワ、マフィアを通り過ぎてしまった。一五〇五～一二年の短いポルトガルによるキルワの占領期間中、ポルトガルに追われたキルワのスルタンの亡命地としてマフィアは登場し、またポルトガルに擁立された傀儡スルタンを呼び寄せて暗殺したという伝説がある。ポルトガルの東アフリカ支配が終了する一六九八年のモンバサのジーザス砦の陥落まで、マフィアはキルワのスルタンとモザンビークのポルトガル総督の二重支配を受けていたと思われる。この時代のマフィアの中心都市はキシマニであったろう。

一八世紀にはオマーン・アラブの支配下に入ったザンジバルの、さらにその支配下に入ったと思われ

チョーレ・ムジーニにあるヒンドゥー寺院の廃墟

る。この時代、キルワ・キシワニには過去の栄光はなかったが、内陸部（現在のマラウィなど）から、キルワ・キビンジに運ばれた奴隷がフランス領の植民地となった現在のモーリシャス、レユニオン島へサトウキビ・プランテーションの労働力として輸出される中継地点としてマフィア島はそこそこの繁栄を示していたと思われる。

一八一七年にマダガスカルのサカラファ人の攻撃略奪を受け、クアの町は荒廃する。その後、クアの町は復興することなく廃墟と化し、マフィアの統治の中心はチョーレ島にあるチョーレ・ムジーニに移った。そこにはザンジバルのスルタン政府の役人やインド人の商人が移り住み、ヒンドゥー寺院も建設されるなど繁栄を示した。本来、ザンジバルのスルタンの統治下だったので、一八八五年のベルリン会議による分割でも、ドイツ領東アフリカではなく、イギリスの保護領になるはずであったが、一八九〇年ドイツとイギリスの協定により、現在のマラウィの一部の見返りとして、マフィア島はザンジバルのスルタン領から切り離され、ドイツ領になった（売り飛ばされた）という。したがって、現在の行政区分はタンザニア本土に属することになってしまった。ヨーロッパ列強による恣意な分割がその後の歴史に影響を与えた一つの例である。

一九世紀のオマーン・アラブ時代に大いに発展したのが奴隷労働によるココヤシのプランテーションである。当時、チョーレ島にある町がチョーレ・ムジーニ（町のチョーレ）と呼ばれ、マフィア島はチョーレ・シャンバ（畑のチョーレ）と呼ばれた。オマーン系のアラブ人や長年住み着いていたシラジ系と自称する人たちはチョーレ島の町に住み、マフィア島は奴隷労働によるココヤシ畑が広がっていた。当時（一九世紀後半）のマフィア島の人口の半数は奴隷だったと推定される。ドイツの植民地時代、奴隷貿易は禁止され、奴隷解放は奨励されたが、奴隷制度は廃止されなかった。マフィア島を含む、南部の沿岸地帯（キルワ、リンディ、ムトワラ）では、シラジ系の大土地所有者は奴隷の所有者であり、その地方名望層とドイツ植民地当局は対立を避けるために、奴隷制廃止という強硬手段を避け、緩やかな解放を奨励するという妥協的な政策を採った。第一次世界大戦前夜の一九一二年、マフィア島の人口は約一万三〇〇〇人くらいだったが、その三分の一は奴隷だったと推定されている。

ドイツの植民地時代の末期（一九一三年）にマフィア島の統治はキリンドーニというマフィア島の西海岸の港に移った。ダウ船主体の貿易から、動力船主体に変わったということだが、キリンドーニが深水港であるというわけではない。対岸の本土側との連絡を考えたのだろう。ここが現在の県庁所

ココヤシのプランテーション

在地である。第一次世界大戦が勃発し、マフィア島はイギリスに初期に占領され、ルフィジ河口に逃げたドイツの巡洋艦を攻撃する基地になった。

第一次世界大戦後、植民地宗主国がドイツからイギリスに代わった。ザンジバルのスルタンはマフィア島の宗主権復活を狙ったようだが、一九二〇年正式にタンガニーカ本土に組み込まれる。その後、奴隷制度は正式に廃止されるが、マフィア島はココヤシ、カシューナッツという商品作物が生産される他は、漁業に頼った経済的には遅れた地域として残される。マリンリゾートとして脚光を浴びるのは、二〇世紀も末に近くなってからである。

今年の七月にマフィア島に久しぶりに行ってきた。一四年ぶりだと思う。マフィア島には一九八六年にダウ船の出入港記録を調べるため、キリンドーニの町のゲストハウスに泊まって港に通ったのが初めてで、その後二回マフィア・アイランド・ロッジという老舗（当時は唯一）のビーチリゾートに泊まったことがある。通常はかなり高い料金のロッジが、七月半ばまで特別オファーをしていたので、今回はそれに乗って少し贅沢な気分を味わってきた。と言っても、ビーチリゾートに泊まりながら、海には入らず、遺跡めぐりだったのだが。

キリンドーニには港も空港もあり、マフィア島で唯一町といえる所である。二三年前に初めて行った時には、まだウジャマー政策の名残があった時代であり、町とすら呼べない感じだった。今回、ビーチとの行き帰りに少し覗き、港も歩いてみた。空港から歩いてすぐ町なのだが、町はそれなりに賑やかになっており、店も増えたようだし、宿屋（ゲストハウス）もそこそこできて、観光客相手のレストランもあるようだ。白人のバックパッカーらしい若者たちが歩いている。

町から港へ下りてみる。二三年前は毎日通った道だ（といっても数日のことだったが）。港にも活気が広がっている。かつては普通のダウ船しか見なかったと思うのだが、エンジン付きの漁船が多くなり、また近在の村に人を運ぶダウ船も増えているようだ。漁師が上がってくると、浜まで上がってくるのを待たず、仲買人たちは小舟でその漁船に乗り移り、買い取るようだ。浜に揚がった時には魚の値段はもう高くなっているというわけだ。マフィアの産業は漁業とココヤシだが、市場はダルエスサラーム。二十数年前は、ダウ船でダルエスサラームまで運ばれたようだが、今は対岸の本土（キシジュなど）に渡されると、そこで待っているトラックによってダルエスサラームに運ばれる。

キリンドーニから南東のビーチリゾートが並んでいる（といっても四軒だが）ウテンデに向かう。すぐに町は終わってしまい、ヤシのプランテーションが並ぶのどかな農村風景が広がる。途中で、マフィア海洋公園のゲートがあり、この七月一日から入園料が大人二〇ドルにアップされてしまい、二四時間制で入園料を徴収される。そのゲートの前の小さな集落には、ゲストハウスの看板が出ていた。欧米のバックパッカーはここら辺に泊まって、安く上げるのだろうか。

ウテンデから対岸のチョーレ島に渡る。エンジンを付けたダウ船で、わずか五分程。島に近づくと、ドイツ植民地時代の建物（税関？）がマフィア島からチョーレ島に渡る際の船着場に建っている。あたかもキルワ・キシワニ島のゲレザのような趣である。船を下りると小さなオフィスに連れて行かれ、一人一五ドルなりの入島料を取られる。レシートを見るとチョーレ・ムジーニというホテルの名前が書いてあり、政府の代行をしているのか、あるいはこのホテルがチョーレ島の権利を持っているのか？その小さなオフィスでパソコンに向かっている白人の女性がいた。ムスリムの島なのに、ノースリーブで露出が多い。私たちのガイドに訊いたら、ホテル・チョーレ・ムジーニのマネージャーだという。さもありなん。

チョーレ島を歩くのが一種の文化観光とされているようだ。よく保存されている遺跡といっても一九世紀の町の遺跡である。ザンジバルのスルタンの支配下だった時代には、マングローブ材を取引するインド商人も住んでいたらしく、ヒンドゥー寺院の廃墟もあった。島の中を歩く。キルワ・キシワニ島よりは人口密度は高く、畑もバナナ、ココヤシ、カシューナッツ、キャッサバ、マンゴーなどが植えられている。井戸もそこかしこにあり、ノルウェーの援助機関のオフィスもあった。コウモリがやたら多いのも目立った。昼間は大樹に大群がぶら下がっている。

クア遺跡のあるジュアニ島は小島だが、マフィア群島のなかではマフィア島に次いで大きい。チョーレ島を挟んでいる形になっている。ウテンデからダウ船で二〇分くらいかかっただろうか。入り江の中にボートをつけ、上陸して濃い緑の中を歩き出す。歩き出して一〇分ほど、かなり広い都市の遺跡が見えてくる。スルタンの住居や金曜モスク（編者注：合同礼拝をおこなう大きなモスク）、一般の住居区、墓地などが草叢に点在している。保存状況もさほど悪くはない。一三〜一五世紀、いわゆるキルワ・キシワニの最盛期と重なる時期が繁栄期だったとされるが、現在見られる遺構は一八世紀のものだろうか。

よく訊かれる質問だが、マフィアという名前の語源について。シチリア島とシカゴ、ニューヨークを結ぶシンジケートとは関係がない。アラビア語起源、ペルシア語起源、スワヒリ語起源などいくつか説があり、アラビア語起源説には複数の説がある。もっともポピュラーなのはアラビア語の「群島」を意味する言葉を起源とする説だが、初期の植民者であるアラビア半島のイエメン地方の氏族名から来ているという説もある。スワヒリ語起源「Mahali pa Afya（健康な場所）」説は分が悪いと思う。

参考文献

James De Vere Allen, 1993. *Swahili Origins*, East African Studies.
Jan-Georg Deutsch, 2006. *Emancipation without Abolition in German East Africa*, Ohio University Press.
村川堅太郎訳『エリュトゥラー海案内記』（中公文庫、二〇一一年）。
Justus Strandes, 1961. *The Portuguese Period in East Africa*, East African Literature Bureau.

ジュアニ島のマングローブの入り江

クアの遺跡の金曜モスク

■コラム■ 若き日のニエレレ

ニエレレ英雄伝説というのに興味がなかったから、ニエレレの若き日というのをほとんど知らない。政治家となってから、特にタンガニーカが独立してからの政治史はそこそこ知っていたのだが、ニエレレという人格がどういう風に形成されたのかというのに興味をもって、少し調べてみようとした。

ニエレレは一九二二年四月一三日生まれとされる。大雨のなかで生まれて、カンバラーゲ(Kambarage)と名づけられた。ザナキ語で、「雨のなかに生きた祖先の精霊」を意味するという。ちなみにニエレレという名は父親から受け継いでいるが、その意味は「毛虫」だという。

敬虔なカトリック教徒で、二一歳の時、父が亡くなってから洗礼名ジュリアスをもらった。父がクリスチャンにならなかったのは、多妻制禁止に納得できなかったのだろうと後日述懐している。母は労働力の観点から多妻制を支持したといわれるが、ニエレレは一夫一婦を通した。

首長の子どもだったが、貧しい幼年時代を送ったとされる。雨漏りのする泥の小屋の思い出が伝えられている。子どものころに白人やアジア人に会ったこともなく、言葉もザナキ語しか話さなかった。隣人マサイとの戦いや、セレンゲティに狩猟に出かけ、帰りに迷子になった思い出もある。

一二歳でムソマにあるMwisenge小学校に送られた。ニエレレはそこで初めてスワヒリ語を習う。四年制だったが、一九三六年の試験で全国首位の成績を収め、一五歳でタボラにある公立中学校に進学する。英語を学習したのはここからだ。

一九歳でマケレレ大学に進学する。興味があったのは哲学的な科目で、特にジョン・スチュアート・ミルの代議制政府と女性の従属に関するエッセイに多大な影響を受けたという。東アフリカ作品コンクールでは、ミルの思想を「部族」社会に適用してみたという。

大学卒業後、タボラに戻ったが、母校ではなく、カトリックのセントメリー中学校で教職に就き、生物と英語を教えた。町の人びとに英語を教え、友人たちと明け方まで政治論議を繰り返していたという。

一九四九年、政府奨学金を得て、エジンバラ大学で修士課程を学ぶ。英国のタンガニーカ総督はニエレレの政治的資質を危険だとみなし、奨学金支給に反対したといわれる。大学院では歴史と経済を専攻した。しかし、ニエレレ自身の関心は哲学にあり、特に政治哲学で膨大な文献を読み込んだという。この在学中にフェビアン社会主義に触れる。この時代、ニエレレにとっては静かな思索の時ではあったが、はっきりと政治的な志向を固めた時代でもあった。

第五章　内陸スワヒリの世界

ウガンダ
ブコバ
ヴィクトリア湖
ルワンダ
ムワンザ
ケニア
N
ブルンジ
キリマンジャロ山
モシ
マラガラシ川
モンバサ
キゴマ
ウジジ
タボラ（カゼ）
タンザニア
タンガ
ペンバ島
ウヴィンザ
パンガニ川
パンガニ
ザンジバル諸島
ドドマ
バガモヨ
ウングジャ島
マハレ
ワミ川
モロゴロ
ルヴ川
ダルエスサラーム
タンガニーカ湖
カオレ
（ズンゴメロ）
ルクワ湖
イリンガ
ルフィジ川
マフィア島
マヘンゲ
キルワ
バートンとスピークが通った道（1857〜1859）
スピークが通った道（1858）
0
100
200
300
400km
リンディ
ムトワラ
ソンゲア
マサシ
ザンビア
マラウィ湖
ルヴマ川
マラウィ
モザンビーク

西部キャラバン・ルート

第17話　探検家たち

二〇一二年六月一日

アフリカの歴史の勉強を始めたころ、ほとんど興味がなかったのは、一九世紀のヨーロッパ人探検家たちの話である。いわゆるリヴィングストン、スタンリー、バートンたちの伝記である。彼らは探検家であれ、キリスト教の宣教師であれ、その後のヨーロッパ列強による植民地支配の露払いの役割を果たしたのだからという理由からである。

現在でも、その基本認識は変わっていないが、ヨーロッパ列強、特に英仏独が、いかにアフリカ大陸の内陸部に浸透し、収奪の準備をしていったか、そしてそれが現在の新植民地主義、あるいは中国などによる地下資源や食糧生産確保のための進出とどう違うのか、少し比較してみようという気持ちになった。

東アフリカに関していえば、「ナイルの源流」探しと「行方不明になったリヴィングストン」探しが挙げられる。そして、それらの探検家たちが通った道は、いわゆるキャラバン・ルート＝象牙と奴隷の運ばれた道だ。

最も高名であるリヴィングストンはどちらかというと南部アフリカ（現在のボツワナ、マラウィ、ザンビアなど）の探検で名を成した人である。彼にとって最後の三回目の探検は、帰らざる旅になったもので、遅ればせながら「ナイルの源流」探しに参加したのだ。ザンジバルからキャラバン・ルートをたどらず、現在のタンザニア南部のミキンダニの港から、ルヴマ川を伝ってマラウィ経由でタンガニーカ湖の西岸を目指した。現在の地図から見れば、大きく迂回したルートで、彼らしい意固地さが表れているのかもしれない。

ここでは、バートン、スピーク組がたどったルート（一八五七〜五九年）を、バートンの記録を基に追ってみたい。その後のスピーク、グラント組のルート（一八六〇〜六三年）、行方不明になったリヴィングストンを探しにスタンリーが採ったルート（一八七一〜七二年）も、ほぼ同じルートをたどっている。

バートンとスピークは、一八五六年の一二月にボンベイ（現、ムンバイ）からザンジバルに着いた。一月には本土側に渡ったのだが、モンバサ、パンガニなどを回り、準備に時間を費やしているうちに大雨季が始まり、結局出発は六月まで遅れた。六月一四日にザンジバルを出航し、対岸のバガモヨの南カオレに上陸する。

バートンは博物学者であり、またロンドン人類学会の創立者でもあるから、その興味は多様で、観察眼は鋭い。植生や動物、また住民の住居、衣装、習慣や伝聞などを事細かに書き記す。海岸沿いの緑濃い植生の中に点在する集落は混血を含むスワヒリ人やザラモ人農耕民のものだが、そこにはイネ、タバコ、トウモロコシ、ゴマ、ラッカセイ、キャッサバ、サツマイモ、マメ類が植えられている。またパイナップル、ココナッツ、マンゴー、パパイヤ、ジャックフルーツ、プランテンバナナ、ライムなどへの言及もある。ヤギ、ヒツジ、ニワトリももちろん歩いていて、現在の海岸部の農村の風景と変わらない。

カオレからはルヴ川沿いに南西に入り、ズンゴメロ（Zungomero）を目指した。現在のようにまっすぐ西へ向かう道をとらずに、迂回している。バートンが残した緯度経度の数字は、実際の数字とずれがあると思われるが、ウルグル山地の南側、現在のセルー動物保護区の北西端であるキサキの辺りだと思われる。ザラモ人の西隣の地域の弱小民族クトゥ人が奴隷狩りの被害を受けている様を記している。カオレを六月二六日に出発して、このズンゴメロ到着は七月二五日となっている。ちょうど一ヵ月の行程だ。距離的には三〇〇キロメートルくらいだろう。

ズンゴメロからは、ウサガラ山地を越えて、ゴゴ平原を目指すことになる。ミオンボ林、サバンナ（現在のミクミ国立公園）を抜け、高山にかかる。最高の標高一七三〇メートルほどの地点を越える。バートンはインド滞在が長かったが、そのインドの高原避暑地帯と比較している。ズンゴメロを出発したのが八月七日、ゴゴ平原側のウゴギ（Ugogi）に到着したのが、九月一八日となっている。総日数四三日間、推定踏破距離は二八〇キロメートルではないか。ただ高低差（上り下り）があるから、実際に歩いたのはもっと長いだろう。

バートンはウジジまでの道のりを五区間に分けているが、その第三区間はウゴギからウニャムウェジ（編者注：ニャムウェジ人の居住域）の手前になる。現在の地名で言うと、ドドマからタボラの手前までになる。九月二二日にウゴギを出発し、一〇月二八日にトゥーラ（Tura）というウニャムウェジとの境に到達している。所要日数三七日間、踏破距離は三五〇キロメートルくらいと思われる。標高一〇〇〇メートルちょっとの平原地帯を行くのだが、乾季は水が乏しい地域である。

この地域の住民は主としてゴゴ人で、小さな首長国をいくつも作っているのだが、その地域（村）を通過する度に、首長に対する貢納が課せられる。貢納品は、布（アラブのチェックだとか、シュカ、カニキなど）、ビーズ、鉄製品（鍬、鋤など）、家畜などが挙げられている。「ゴゴ人は交易に従事することが少ないから、人口の居住率が高く、戦闘員が多い」とバートンは記している。貢納品以外にも、食料、水を補給するための交易をおこなうから、キャラバンが携帯する品物は莫大な物になる。通過する地域の人びとと敵対すれば、当然、争いが起こり、略奪の対象になる。

第四区間は、タボラの手前から、タボラの町を通り過ぎて、現在のウヴィンザに至る区間である。主にキャラバン貿易を担ったニャムウェジ人の居住地域である。バートンによれば、「月の土地」という別名があるそうな、本当かどうか。ただ、ニャムウェジ（Nyamwezi）という呼称のなかに、月（mwezi）が含まれているというのは不覚にして気がつかなかった。ゴゴの地域と違って、豊かで農業に適した土地だ。

この区間の始点は、現在のタボラの町のある、ウニャムウェジ地方の中心であるウニャニェンベとそのなかにある内陸最大のアラブ人の居留地であったカゼ（Nkazeh）であろう。トゥーラを一一月一日に発って、カゼに到着したのが一一月七日であるから、所要一週間。踏破距離は一四〇キロメートルくらいであろう。カゼには約一ヵ月滞留している。

ニャムウェジ人は中部タンザニア最大の民族で、北のスクマ人や南東のキンブ人とも近縁の関係にある（編者注：その中心地がカゼ、現在のタボラである）。北のヴィクトリア湖からさらに北の現在のブコバ、ウガンダから、西のタンガニーカ湖畔のウジジから、あるいは南西のルクワ湖地方からタンガニーカ湖を迂回した現在のコンゴ東部（マニエマ）地方からのキャラバンが集結し、東のバガモヨからザンジバルへ向かっていく地点として栄えていた。統一した王が不在で、この時期にはフンディキラという首長が治めていた。タンガニーカ独立闘争で活躍し、独立後大臣を務めたチーフ・フンディキラはその孫に当たる。

アラブ人がこのキャラバン・ルートを開いたのは一八二五年ころらしいが、このカゼの居留地は比較的新しく一八五二年からと言われる。アラブ人の居住数は多くなく、男だけで平均二五人、キャラバンで多くが出ている時は三〜四人しかいないとバートンは記す。アラブ人は、バラザをもった家に住み、ピラウなどを食べ、タバコを噛み、コーヒーをすする暮らしをしていたらしい。

カゼを出発したのが一二月二〇日、第四区間の終点であるマラガラシ川畔のウヴィンザに達したのは、年も明けて一九五八年の二月二日である。所要日数四五日間、踏破距離は推定三八〇キロメートルだから、かなり日数がかかっている。ただ、途中のゴンベ川の辺りで大きく北へ迂回したこと、またムセネというアラブ人の小さな居留地で一〇日間ほど、小休止・補給をしたことが影響している。

第五区間はウヴィンザからタンガニーカ湖畔のウジジの町に至るまでである。ニャムウェジ人の領域を抜け、ヴィンザ人、ジジ人の領域に入った。二月三日にウヴィンザを発ち、ウジジには二月一四日に着いているから、所要日数一二日間、踏破距離一八〇キロメートルほどであろう。

標高差四〇〇メールくらいをゆっくり下っていく。マラガラシ川とその支流の小さな流れを何回か渡る。川沿いの土地は豊かなようだ。雨季は九〜五月の八ヵ月で、降水量も比較的多いようだ。途中いくつかの村を通過し、スルタンの称号を名乗る支配者に貢物を捧げながら通過する。

ウングウェという村から、ウジジの手前のウカランガ（ラッカセイの土地！）に下る道で、タンガニーカ湖が姿を現す様をバートンは感動的に記す。

「タンガニーカ湖が強い熱帯の日差しのなかで午睡している姿を初めて現した時、これ以上美しいものはないという思いがした。前景には、切り立った崖を、曲がりくねった険しい細い小道が下っていく……きらめく黄色い砂のリボンを優雅につけたエメラルドグリーンの平らな狭い棚のような湖水が見える。スゲやイグサを境にして、透明できれいなさざなみが立っている。さらに前方を見はるかすと、その明るく柔らかい青の広がりの向こう、三〇から三五マイルの幅で、東風に煽られ、雪のような泡の三角波がまかれている。そのさらに向こうには高くごつごつした紫色の壁が、真珠のような霧にそばかすのように、あるいは帽子を被ったように隠されて、真っ青な空に向かって鉛筆のように鋭く立っていた」

ザンジバルから海を渡り、延々と旅してきたキャラバンの終着駅が見えた喜びだろう。バートンたちが東海岸のカオレを出発したのは、一八五七年六月二六日で、ウジジ到着が一八五八年二月一四日だから、二三四日目の到着ということになる。踏破した距離は、一六三〇キロメートルほどと推計している。実際には休養・補給に費やした日数があり、バートンの日記を見ると一七八日が行進の日数である。一日平均九・二キロメートルと遅い。ただし、バートン自身は行進の日数は一〇〇日、四二〇時間とし、時速三・六キロメートルと計算している。

この後、ウジジの町の様子の記述に入る。ウジジにアラブ人が到達したのは、一八三〇年ころという。少しずつ発展してきて、バートンが入った時は、バザールと呼ばれる市場で多くのものが取引されていた。湿潤な気候に恵まれ、豊かな農耕地帯だ。コメも良質のものがとれ、モロコシ、キャッサバ、ナス、サツマイモ、ヤム、キュウリ、バナナ（mikono wa tembo, 編者注：直訳すると「象の手」）、ラッカセイやインゲンマメなどのマメ類、アブラヤシの油、新鮮な魚などの食料、サトウキビ、タバコ、ワタなどの商品作物も取引されている。

アラブ人のキャラバンにとっての最大の交易品は象牙と奴隷である。それらは市場で交易されているが、ウジジ市場での値段が上がっているため、キャラバンは湖を対岸に渡り始めているという。つまりコンゴへキャラバン・ルートは伸び出していたのだ。バートンはこのザンジバルまでの奴隷キャラバンの利益率を五〇〇パーセントと推定している。

バートン、スピークたちの目的は「ナイル川の水源」の発見である。彼らは湖にボートで乗り出し、二手に分かれ、タンガニーカ湖から流れ出る川を探した。対岸のコンゴの南側（現在のカレミエの近く）に渡ったり、湖岸を北上して、現在のブルンジ領、そこから湖を渡って現在のコンゴのウヴィラまで行っている。しかし、この探検では、タンガニーカ湖から流れ出る河口は発見できなかった。五月六日、彼らはウジジを出発し、タボラに向かった。そして、その後バートンの病気療養中に、スピークが北上してヴィクトリア湖に達し、「ナイルの水源を発見」したことを主張するようになり、二人の間に対立が生じる。しかし、それは本稿とは関係がない。

取りあえず、バートンがたどった道筋を追ってみた。バートンの旅行記には、人類学者らしい、その土地の人びとの暮らし、動植物の観察が詳しく述べられている。今回はそこまで読み込めなかったが、一九世紀半ばのイギリスの人類学者が、アフリカの人びとをどう見ていたかというのは重要な課題であり、その貴重な記録と言えるだろう。

探検家のなかで植民地支配に直結したのはスタンリーだろう。リヴィングストン（一八一三年生まれ）はもちろん、バートン（一八二一年生まれ）、スピーク（一八二七年生まれ）に比べて遅い一八四一年生まれという年代の違いが関係あるだろう。さらに、ほかの三人と違い、イギリス（ウェールズ）生まれであるにもかかわらず、一八歳でアメリカに渡り、そこの商人の養子となり、アメリカ国籍を取ったという経歴も影響しているのかもしれない（最終的にイギリス国籍に復帰した）。

そしてアメリカのなかではまだ奴隷制の残っていた南部で働き、南北戦争にも従軍したことが、スタンリーの人種観に影響を与えたのだろう。リヴィングストンの反奴隷貿易の立場と、スタンリーの人種主義的な行動には、距離感を感じる。スタンリーはアフリカに対する帝国主義の植民地支配、特に大詐欺師レオポルド二世による私的植民地コンゴ自由国の成立に大きく貢献することになる。リヴィングストンが英雄とされた時代から、明らかに変化があるのだ。

スタンリー以外のほかの三人の出身を見ると、リヴィングストンはスコットランドの牧師の息子で、子どもの時から工場で働かなくてはならなかった。誕生した場所を記念博物館にしようとしたが、スラム街のただ中なのでためらったといわれるように、間違いなく労働者階級の出身である。バートンは陸軍大佐（お金で将校の地位を買った）の息子で、母方の祖父は地主階級である。スピークが一番裕福な階級の出身で、地主階級の子どもだった。それらと比べて孤児院育ちのスタンリーの幼少期はかなり違う。その当時のイギリスの階級社会がどのようなものであったか、残念ながらなかなか実感としてわからないのだが、スタンリーはかなり違うんだろうなと思う。

ヴィクトリア朝時代（一八三七〜一九〇一年）の大英帝国を彩る探検家たちの強烈な意思、自負には感嘆してしまう。特にバートンの異才には、単なる「植民地支配の尖兵」では片付けられないものを感じる。しかし、一方で、インドでセポイの反乱を鎮圧し、中国でアヘン戦争、アロー号戦争を仕掛け、スエズ運河を開通させていった大英帝国の時代という背景を感じざるを得ない。そしてそれを追い上げる準備を整えつつあった南北戦争後のアメリカを、スタンリーは体現していたのだろう。

参考文献

Richard Francis Burton, 2007. The lake regions of central equatorial Africa, *Journal of the Royal Geographical Society*, 1859, First electronic edition.

Martin Dugard, 2003. *Into Africa: The Dramatic Retelling of the Stanley-Livingstone Story*, Bantam Books.

藤野幸雄『探検家リチャード・バートン』（新潮選書、一九八六年）。

藤田緑「リヴィングストンの見る東アフリカのアラブ商人」（『東北大学国際文化研究科論集』第七号、一九九九年）。

Henri Médard & Shane Doyle Ed., 2007. *Slavery in the Great Lakes Region of East Africa*, James Currey.

Clare Pettitt, 2007. *Dr. Livingstone, I Presume? : Missionaries, Joumalists, Explorers and Empire*, Profile Books.

第18話 内陸スワヒリ都市

二〇一二年八月一日

スワヒリというとその語源からして海岸のことであり、スワヒリ海岸というと南部ソマリアから、ケニア、タンザニアを経て、北部モザンビークにかけた東アフリカ海岸を指す。したがって、スワヒリ社会研究というと、北からラム、マリンディ、モンバサ、ザンジバル、ダルエスサラーム、キルワなどの諸都市に住む人びとの研究が主になっている（ただし、キルワは現在は都市とはいえない）。

私自身の関心も、キルワ（キシワニ）から始まり、ザンジバル、バガモヨ、ダルエスサラームと連なり、そこから展開すると、オマーン（マスカット、サラーラ）に飛んでいた。それは、スワヒリ文化の精華は東から、つまりアラブ・イスラーム世界からやってきていて、それが文明化（Ustaarabu）の流れだと自然に思い込んでいたからだろう。その起源をたどることには興味があっても、その流れの行き先にはあまり関心が向かなかったように思う。

最初のスワヒリ海岸の旅を終えて日本へ戻った一九七六年、京都で和崎洋一さんにお会いすることができた。和崎さんはそのころスワヒリ語の辞書を編纂されていて、宮本正興さんの主宰されていた衣笠ロンドに時々顔を出しておられた。マンゴーラ村研究のことはその時に知った。内陸スワヒリの存在を知ったのだ。さらに、日野舜也さんのウジジの研究のことは、一九八〇年代半ばまで知らなかったから、のんきなものだ。日野さんが住み込んで調査されているウジジのお宅に伺ったのは、一九九〇年末だったと思う。

日野さんご夫妻が寓居していたのは、キゴマの州都キゴマから南に約一〇キロメートルのウジジに向かう幹線道路のどんつきの手前の家で、マニエマ人のRさんという人の家だった。一九六〇年代半ば、若き日野青年が寓居したのと同じ家だそうだが、当主は代替わりしていた。その家は裏庭が広く、日野さんの論文によれば、ウジジの上流階級スワヒリを代表する家の一つらしい。当主のRさんには決まった仕事がないようで、日がな悠然としていたが、果たして収入はどうしているのだろうかと不思議だった。そのRさんの家の先のどんつきを右に折れ、また左折するとマンゴーの並木道が続いていた。これが象牙を運んだキャラバン・ルートの出発地点だと言われた。

本書の第17話で、あまり興味のなかった一九世紀の探険家の話を調べてみたのは、実はタボラ〜ウジジという内陸スワヒリ都市をつなぐ道を歩いてみたいと思い立ったからで、その逆ではない。タンザニアに街道がある程度の過去から、つまりキャラバン・ルートのころから連綿と存続し、人間・物資の往来を支えていたのだろうかという興味からである。

今回は、ダルエスサラームから飛行機でムワンザ経由でキゴマに飛び、ほかの人を送ってキゴマまで来ていた車に迎えてもらい、キゴマ・ウジジを見た後、タボラ経由でダルエスサラームに戻るとい

ウジジの旧家Ｒさん邸での結婚式

ウジジのマンゴーの並木道

うやや変則的な行程になった。本当は列車で行きたかったが、タンザニア鉄道（ＴＲＬ）はこの旅の計画段階では運休中で、直前（五月二二日）に再開されたものの、週二便三等客車のみの試験運転のような感じで、しばし様子見である。

ムワンザ経由でキゴマ空港に近づき、上空からキゴマやウジジの町並みを眺めた時、きらきらと輝く真新しいトタン屋根の家が空港周辺の地区に多く建てられているのに驚いた。キゴマは空路や鉄道が時々途絶えてしまい、国境の町といってもほかの都市（アルーシャ、ムワンザ、タンガ、ムベヤなど）と比べると、活気が足りないような感じがする（国境の町としてはムトワラものんびりしているが）。国境らしい国際色としてはせいぜいコンゴ、ブルンジの難民受け入れのための国連・NGO関係者が目立つだけで、それも最近は減少気味である。また二〇一〇年の総選挙で野党が多数派を占めた唯一の州（ザンジバルを除く）であるから、何となく政府の開発予算も落ちてこない、見捨てられている町だという思い込みがあった。キゴマは三年ぶりだった。

それがどっこい。キゴマ空港には入管の役人がいて（二八年間で初めて）、外国人のパスポート検査をしていた。空港から町へ向かう途中の道路も、以前は大きな穴が開いていて雨季には大きく迂回しないと通れない地点がいくつかあったが、現在は舗装され、道路脇には新築の家も多かった。キゴマとウジジを結ぶ道路もきれいに修復され、快適なドライブができる。昔のレイルウェイ・ホテル、現在の名前はタンガニーカ湖ホテルに投宿した。ここは一一年ぶりだが、きれいに明るくなっているのにびっくりした。

ホテルを出て、キゴマの町の昔からあるレストランAllys《アリーズ》で昼食。変わらぬ素早さ、安さ、おいしさに安心して、ウジジの町に向かう。まず、例のリヴィングストン博物館を目指す。幹線道路から博物館に曲がる角には小さな看板が出ていたが、それは携帯電話会社の宣伝のおまけのようだった。曲がった道は以前は土の道だったが、石畳を敷こうとしていて、博物館の途中まで完成していた。

この博物館は一八七一年にスタンリーが行方不明になっていたリヴィングストンを「発見した」場

所にあるというのが、ほとんど唯一の売りである。会見した場所にあったとされるマンゴーの樹はすでになく、モニュメントがある。以前はその横の小さな建物が博物館になっていて、年配のガイドさんが説明してくれていた。今回は新しい建物がモニュメントの下の広い敷地に建っていて、若い女性のガイドさんに代わっていた。入場料一人なんと二万シリング！　ほとんど見るべきものはなく、スタンリーとリヴィングストンの会見のお人形が飾ってあるほかは、最近描かれた似顔絵のようなものが多く、史料的な価値に乏しく詐欺のようなものだと思った（在留許可をもっている外国人の入場料は一〇〇〇シリングでよかったのだが、ガイドに言われた通り払い、確認を怠った自分たちがいけない）。ウジジの中学生五人がサークル活動らしく見学に来ていて、ガイドにいろいろ質問していた。

博物館を出て旧知のRさんの家を目指す。日野さんが寓居としていた家だ。電話で前触れしてあったので、旧家のバラザに座って待っていたRさんはすぐ私たちを見つけてくれる。食事を用意してくれていて、「たった今、食事をしてきたばかりだから」と固辞しても許されず、結局一行皆が少しずつご馳走になることにする。キゴマ産の米は美味しい。Rさんは長いこと自分で食事を作ってこられたから、おかずも美味しい。スワヒリの習慣を忘れつつある自分に気がつく。Rさんの家は一九四〇年前後の建築らしい。しっかりした建物で、天井も高く涼しい。裏庭も広く、鳥がやってくる果樹が植えてある。風格のある旧家である。

Rさんの案内で、古いウジジの町、建物、街道を歩く。どんつきから右折し、まだ壊されていない古い建物（補修はされている）や、ドイツが建てた病院で現在は小学校として使われている建物。その隣にある奴隷を入れていた倉庫を見て歩く。コンゴからタンガニーカ湖を渡って上陸した奴隷たちが最初の夜を過ごした倉庫。反抗的な奴隷を処刑した場所。バガモヨへ向かうキャラバンの道に連なるマンゴーの並木道……。奴隷貿易をクローズアップして、その非人道性を強く非難するのは一九世紀の英国の帝国主義の戦略だと思うから、奴隷貿易を強調するつもりはない。しかし、一九世紀には象牙と並んで奴隷がこのキャラバン・ルートの最有力商品であったことは間違いないから、目をふさぐわけにはいかない。一九世紀の末の対岸のコンゴ東部では、コンラッドの『闇の奥』のクルツが象牙狩りに狂奔していたはずだ。

Rさんに従って、マンゴーの並木道を歩く。ウジジの市場の脇を通って、内陸部に向かう。Rさんが道端の黄色い小さい花を指して、「子どもの時はこの花が咲くと、雨季が終わったことを知ったのさ」と言う。昔ながらの民家とあまり区別のつかないモスクがあって、今も使われているという。マンゴー並木がまばらになるとアブラヤシのプランテーションが広がり、人力で油（マウェッセ）を絞っている人たちと出くわす。ブルンジでも似たような光景が見られるのだろう。

ウジジがオールドタウンだとすれば、キゴマの町はドイツが建設した中央鉄道の終着駅、タンガニーカ湖の港町として発展したニュータウンだ。マハレのチンパンジー研究に向かう人たちとも何度か訪れたことがある。何となく停滞している感じが強かったが、今回Rさんの案内で、ウジジからキゴマ、そして小型船の港であるキビリジ（Kibirizi）まで走ってみると、新道が造られ、新しい家が多く建ち、外部の人たち、日野さんのいうワゲニ（お客さん）が住んでいて、パラボナ・アンテナが立っている家もそこそこあった。キビリジの港は、現在は中断しているリエンバ号による定期便の代わりに、ブルンジ、コンゴに向かう小型船が頻繁に発着しているようで、物資も多く並べられ活気があった。

Rさんと別れて、ウヴィンザを目指す。以前は北のカスル経由で大回りして行ったはずだが、中国の会社によって新しい直行の道路が拓かれていた。わずか二時間で着いてしまった。途中、マラガラシ川を渡って右に行くと、チンパンジーがいる森があるよとRさんに言われていたのだが、気がつかないうちに通過していた。

ウヴィンザの歴史は古く、一八五七年に通過したバートンの記録にも残っている。さらにいうとウヴィンザは古くから製塩で知られた町でもある。町の手前と過ぎた所の二ヵ所に塩田と製塩工場がある（一ヵ所は休止中）。この町に泊まったのだが、県庁所在地であるにもかかわらず電気がない。泊まった宿は発電機を夜二時間ほど回してくれ、テレビを見ている住民も多かったが。翌朝町を散歩してみると、ちゃんと電線が走っている。訊くと、この電線は製塩工場から引っ張っているもので、町の住民が電気代の負担を払わないから、製塩工場からストップされているという。製塩工場の城下町として発達した町なのか。袋詰めした塩がお土産として売られていた。

ウガラの疎林のチンパンジー（チンパンジーの分布域としては東端らしい）の調査隊のキャンプが、ウヴィンザから近いので冷やかしに行く。途中から森林保護区のはずだが、伐採の跡や、製材して運び出すのを待っている材木を時々見かける。それどころか、自転車の荷台に材木を積んで運んでいる男二人とも遭遇した。途中、マラガラシ川には大きな橋があり、そこが検問所になっているはずだが、夜には誰もいないから橋は簡単に通過できるという。キャンプ地はツェツェバエと小型のミツバチが多く、たかられたのは参ったが、いい場所だった。

翌朝はウヴィンザに到着するはずのTRLの列車の写真を撮ろうとウヴィンザ駅に行ったが、列車は途中のカリウア駅で機関車が故障し、タボラから代わりの機関車を送っているから数時間遅れと言われる（実は朝四時着の予定が既に四時間遅れていたのだが）。列車に頼る旅は困難だ。朝、ホテルの周辺には、ウヴィンザ駅で降りる客を待っているタクシーや、カスル行きのミニバスが何台も待っていたのだが。

列車の写真を諦めて、タボラ方面に向かう。途中サガラ湖に寄って水鳥撮影をするつもりだったし、その先の道路の状況がわからないので、その日の目的地は決まっていない。カリウアから列車を諦めてやってきたと思われる客を乗せたタクシーとすれ違う。乗用車でも走れるそこそこいい道だ。両脇にはミオンボ林が続く。きれいに澄んだマラガラシ川を渡る。立派な橋が建設中である。韓国人がやっている。この川の上流で灌漑用のダムも造っていると聞いた。道の両側の湿地帯には水田が広がっている。もし道路がよくなったら、コメの生産は伸びるだろうと思わせる豊かな光景である。

グルカという小さい村で右折して線路を渡ってサガラ湖を目指す。途中少し悪い箇所もあったが、まずまずで道は続く。途中マンゴーの並木が横切るのに出くわす。キャラバン・ルートと交錯しているのかとふと思う。サガラ湖畔には漁師の小さな小屋が立っていた。小舟（ムトゥンブィ）で帰ってきた漁師たちが引き揚げている魚を見ると、ナマズかなと思っていたら違う大きな魚が混じっていた。

水鳥もいるが、葦が茂っていて、湖の全体の姿は見通せない。

　サガラ湖畔を回る道は通れないと言われて、また来た道を戻り、カリウアを目指す。カリウアは小さな町だったが、着いたのが一三時半くらいだったので、さらに先のウランボを目指す。ウランボは一九世紀後半、ニャムウェジの大首長として勢威を振るったミランボの本拠地があったところだ。一八七一年リヴィングストンを探しに来たスタンリーが、アラブ人とミランボとの戦争に巻き込まれ、タボラでしばし立ち往生し、その後ミランボの勢力圏を避けて大きく迂回してウジジに向かったことが記録に残っている。

　ミランボは現在、タンザニアの民族的な英雄の扱いを受けることもあるが、果たしてそうだろうか？当時、ニャムウェジ民族に統一された王国はなく、各地に首長国が存在していた。ニュング・ヤ・マウェやフンディキラといった首長も、ほぼ同時代に隣接地域に存在していた。「アラブ嫌い」ということで知られ、アラブ人のキャラバンを襲ったということだが、それは単に商業利権を主張しただけではなかったのか？　植民地支配に対する民族的抵抗とは違うと思われる。

　タボラの町は実は初めてだった。今までキゴマへ行く途中、空港に降りただけだった。見所は街中に残るマンゴー並木。これはキャラバンの時代よりは新しい時代のように思えるが。道の両側が警察署やその宿舎になっている関係で車から降りてゆっくり撮影ができない。古いアラブ風の建物（廃墟）も、古い城砦（ドイツ時代のもの）も軍の基地になっているとかで、車内からの見学。スワヒリ風という雰囲気を感じさせる町並みはほとんど残っていないようだ。

タボラにはニエレレ初代大統領が学んだ中学校がある。タボラ・ボーイズ中学校で、ガールズとつながった敷地内にあり、名門校らしい歴史を感じさせるたたずまいだった。ニエレレ以外にも有名な政治家を輩出している。長年、大学進学を決める国家試験ではトップの成績を誇ってきたが、近年はダルエスサラーム周辺の私立学校に押されているらしい。

タボラ郊外のクワヒラ地区にもリヴィングストンの名前を冠した博物館がある。リヴィングストンが一八七二年に六ヵ月滞在したことは事実だが、この建物はその前の一八七一年、リヴィングストンを探しにいく途上のスタンリーが泊まっていた建物だとされる。スタンリーはタボラのアラブの代官（リワリ）にこの建物をあてがわれていた。さらに先行する一八五七年にバートン、スピークがタボラに滞在したことにも触れてあるが、この建物を利用したとは記されていない。九時過ぎに博物館に着いたら、無人で閉まっている。近くの村人に聞いたら、管理人はタボラの町中に住んでいて、めったに訪問客が来ないから、一〇時過ぎに出勤してくるという。弱ったなと思うと、村人の中に元管理人がいて鍵を預かっていると言う。年配の元管理人に来てもらい開けてもらう。入場料一人一万シリングと言う、これもウジジの博物館と同じことだった。レシートはもちろん出ない。

この博物館は、正式にはLivingston Tembe Museumという。Tembeというのはこの場合、ニャムウェジ起源（?）でアラブ風の平屋根をもった方形建物をいうらしい。内部に展示してある資料（スタンリーがリヴィングストンを「発見」したことを報じた『ニューヨーク・ヘラルド』のコピーなど）も、ウジジのそれよりは充実していた。が、この博物館の値打ちは建物そのものにあると思われる。玄関には

タボラのリヴィングストン博物館

広いバラザがあるほかは、赤い外壁は頑丈で窓はない。小さな明かり（空気）取りの穴がいくつか開いているだけで、一見銃眼用のようだ。いわば小さな要塞なのだ。しかし、中に入って見ると、広々とした中庭があり、マンゴーの樹が植わっている。中庭に面して部屋があり、居間、寝室、台所、シャワー室、召使用の部屋などがある。天井が高く、意外と明るく、快適そうに感じる。バートンの記録にも、アラブ人の住居の快適さが記されている。

リヴィングストン博物館から広い道路に出て来た角に、フンディキラ一族の墓と元の屋敷がある。フンディキラというのはニャムウェジの首長（ムテミ）の系譜で、タボラを根拠地としていた。ニエレレの中学校の同窓で、一緒にマケレレ大学に学び、TANUの創設にも関わり、一九六一年の独立の際の最初の内閣の法務大臣となったアブダラ・フンディキラの一族である。アブダラ自身は、五七人の子ども

タボラのフンディキラ屋敷の太鼓

をもったサイディ・フンディキラ首長の息子である。そのサイディの父がミランボと同時代、ドイツの植民地支配の初めの時期の、この土地の首長だった。

ここを訪ねた時、屋敷跡の前庭を老女が掃除をしていた。案内人を尋ねたら隣の家から中年男性を呼んできてくれた。その男性の説明によれば、老女はアブダラの妹、彼自身も一族だという。アブダラ自身の墓はきれいになっていたが、それ以外の一族の墳墓は叢に覆われていた。また雨乞い師として祈祷をささげた場所も示された。ドイツの植民地時代、ニャムウェジを統率する大首長として、首長会議を主宰したといわれる大きな屋敷も、廃墟ではないが、住人がいないためか、荒れた印象を受ける。祈祷用に使われたという巨大な太鼓もいくつか屋敷内に保管されていた。もう少し費用をかけて、ニャムウェジ民族記念館のような形で維持できないだろうかと思った。このままでは観光用には使えない。

タボラに二泊して、翌日はドドマに向かった。タボラ州内では比較的低湿地が多く、イネが作られていたり、またやや乾燥していると思われる地区にはタバコやワタが見られた。ミオンボ林の中には、養蜂箱が散見され、屋台で蜂蜜が売られている村もあった。総じてこの区間（タボラ→トゥラ→イティギ）は、昔ながらの道筋が残っていた。キャラバン・ルートとも重なっている部分があると思われる。ドドマに近づくにつれて、次第に乾燥した植生に変わっていき、緑がすでに黄色に変わり、砂埃がかなり舞い上がるようになる。

今回のサファリは旧キャラバン・ルートを走るというのが目的であった。この区間は大雨季には通れない昔ながらの道路という認識が強く、なかなか行く機会を逸してきたが、今回走ってみてかなり改修工事が進んでいたのが印象に残った。その工事を担当しているのがほとんど中国の会社（一部韓国）というのも強烈な印象だった。いつまでも変わらないと思い込んでいた自分のうかつさを反省しつつ、開発志向の強さと環境の変化に戸惑いも残ったサファリだった。

参考文献

Heinrich Brode (ed.), 2000. *Tippu Tip: The Story of his Career in Zanzibar and Central Africa*, The Gallery Publications.

Richard Francis Burton, 2007. The lake regions of central equatorial Africa, *Journal of the Royal Geographical Society*, 1859; First electronic edition.

Martin Dugard, 2003. *Into Africa: The Dramatic Retelling of the Stanley-Livingstone Story*, Bantam Books.
日野舜也『スワヒリ社会研究』(名古屋大学大学院文学研究科、二〇〇七年)。
Abdul Sheriff, 1987. *Slaves, Spices & Ivory in Zanzibar*, Tanzanian Publishing House.
Aylward Shorter, 1969. *Nyungu-ya-Mawe*, East African Publishing House.

付録　ダルエスサラームにおける物価の動向（二〇〇二年六月〜二〇一六年二月）

根本さんは二〇〇二年六月から二〇一六年二月までの間、いくつかの生活品についてダルエスサラーム市内の価格を毎月記録していた。エネルギーの指標としてはガソリン、主食はトウモロコシとコメと食パン、副食はタマネギと牛肉と卵、嗜好品は砂糖、通勤費としては小型バス（ダラダラ）の運賃、そのほか新聞代と米ドルへの換金レートも調べている。これらの物価の変化からその時代の経済や物流の状況を垣間見ることができる。物価動向は本書の趣旨とは少し逸れてしまうが、根本さんが過ごしたダルエスサラームの生活や時代を理解する手がかりになると思い、付録としてその一部（ガソリン、トウモロコシ、コメ、牛肉）をグラフ化してみた（付録図）。

一九三〇年代にはすでに、タンザニアの起伏に富んだ地形を利用した水力発電所の建設が構想され、独立直後から現在までに大規模なものだけでも八つの水力発電所が建設されている。タンザニアの主要電源は水力であるが、二〇〇四年からはインド洋の天然ガスを使った火力発電所も稼働し始め、増えつづける大都市の電力需要を補おうとしている。送電網から外れた地方都市では小規模な火力発電所を設置しているところが多い。その燃料や、最近広く使われるようになった家庭用のＬＰＧ（液化プロパンガス）、そして物資の輸送を担うトラックや鉄道用のディーゼルはすべて輸入にたよっている。

一九九〇年代に入って経済の自由化がすすむと、それまで穀物流通を一手に担ってきた公社に代わって民間業者が頻繁に農村まで農畜産物を買い付けに来るようになった。物流は活発になり、自給的だった農村の生活も石油価格の影響を受けるようになっていった。リーマンショック（二〇〇九年）やアメリカのシェールオイルの輸出（二〇一五年）による世界的な石油価格の急落はダルエスサラームでもみられたものの、二〇一七年までは基本的に石油の価格は上がり続けた。

ダルエスサラームのような大都市には主食のトウモロコシが全国から集まってくるため、天候不順による局所的な不作が価格に与える影響は小さい。それでも燃料費の変動は半年から一年ほど遅れてトウモロコシの価格に現れている。トウモロコシ価格に影響する別の要因に大統領選挙がある。国民の空腹は選挙に影響するという与党の考えから、五年ごと（二〇〇五年、二〇一〇年、二〇一五年）の年末に実施される選挙の前は近隣国へのトウモロコシの輸出を規制して、国内への供給量が不足しないように調整されている。また、二〇一二年頃からトウモロコシの価格が低く安定しているのには化学肥料の普及が影響しているのだろう。化学肥料を使うようになったことで雨に恵まれた年にはトウモロコシがどこでも豊作となって買い取り価格が下がる、いわゆる「豊作貧乏」の状態に陥るようになった。こうした政治や農耕様式の変化による物価の変動も、このグラフから読み取ることができる。

役畜や耕耘機による耕作労働の軽減、都市化にともなう外食産業の活性化なども後押しして、河

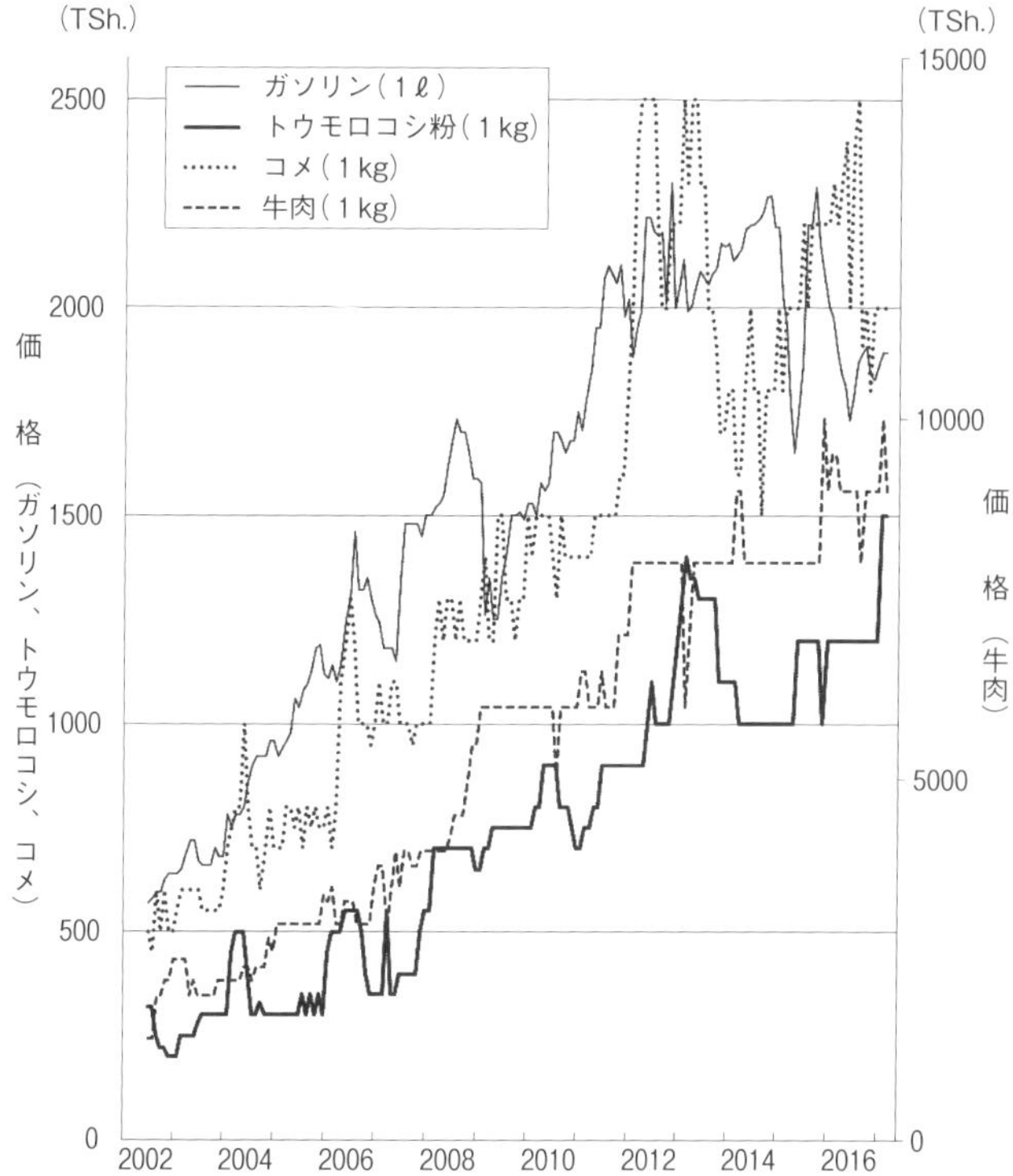

付録図　ダルエスサラーム市内におけるガソリン、トウモロコシ、コメ、牛肉価格の変化

畔の氾濫原や季節湿地には現金収入源としての稲作水田が広がっていった。近年における コメ価格の高騰は都会におけるコメ需要の高さを示していて、都会では米飯が日常的な主食の一つになろうとしていた。周縁地で生産されるコメの価格はトウモロコシ以上に燃料費変化の影響を受けやすく、グラフでは、燃料費が上昇した翌年にはコメの値段が高騰しているのがわかる。コメ需要の高まりは湿地の水田化を促したが、湿

地はもともと放牧地として利用されてきた場所であった。湿地を追い出された牧畜民は発電用に守られてきた水源涵養林を開いて放牧地に換えていった。二〇〇〇年代初頭のタンザニアでは、急速に経済成長する裏側で、電力・農業・畜産業が自然資源を奪い合っていたのである。

（伊谷樹一、多良竜太郎）

あとがき――「海の市民」としての「内側の視点」

本著は、根本利通さんが二〇一一年に刊行し、左記の二つの書評のように一般的、学術的に好評のうちに完売した『タンザニアに生きる――内側から照らす国家と民衆の記録』の続編である。

日本に住んでアフリカを考える、アフリカに住んで日本を考える、ことばで書くと簡単だが、たいへんな根気とエネルギーを要することである。本書の内容はタンザニアの話が大部分だが、その裏にはタンザニアに住んで日本を考え続けている根本さんの気持ちが隠されている。

（下垣桂二「特集記事」『アフリカＮＯＷ』No. 92）

研究者は、たとえタンザニアに何度も足を運ぼうとも、再び日本に戻ってくるものである。ものの見方、歴史や政治の見方も、断続的で対象化されたものにならざるを得ない。しかし、本書はそうではない連続的な視点で書かれている。両者の間には、目に見えない違いが存在していると、本書を読んで感じた。

（末原達郎「書評」『アフリカ研究』No. 79）

根本さんは、ジャパンタンザニア（JATA）ツアーズ社のホームページ（http://jatatours.intafrica.com/）において、二〇〇二年から「Habari za Dar es Salaam（ダルエスサラーム便り）」というタイトルの論考を連載していた。前著同様、主にそれらの中から厳選した論考集が本著である。このダルエスサラーム通信について、根本さんは下記のように説明している。

最初は運動の仲間たちへの近況報告のような内容であったが、次第にタンザニアを知る人、興味を持つ一般への、タンザニアの状況の紹介、あるいは自分の見解を伝えるものになっていった。
（根本利通「あとがき」『タンザニアに生きる』）

前著刊行の二〇一一年五月は、東日本大震災の二ヶ月後である。同年七月に根本さんから送ってもらった電子メールは、まさに「運動の仲間たちへの近況報告」であった。

「節電」のためにかなり暑い夏になるのでしょう。「これだけ暑いのを我慢するくらいなら原発再開…」と持ち込むのが電力会社のねらいでしょうか。反対する日本の市民運動もひ弱になっているから、浪費することを美徳としてきた今までのライフスタイルを見直すまでの流れにはならないかな。あと七年後には日本へ帰ろうと思っている人間にとっては気になるところです。六五歳で市民運動に復帰する（?）

気力が続くかな。

一昨日まで、ケニアのモンバサ、マリンディを旅していました。ケニアのスワヒリ海岸はものすごく久しぶりです。モンバサは一九年ぶり、マリンディはなんと三五年ぶりです（ケニア・タンザニアへの最初の旅以来です）。再訪といえないほど、遠い昔の思い出になっています。

『タンザニアに生きる』を中間報告とし、最後の著作に向かって、再スタートしたという思いです。学術書ではなく、東アフリカ海岸から見た世界史を自分なりにまとめ、タンザニアを去りたいと思っています。今回の旅もほとんど遺跡と古い町の散策に費やしました。私なりのフィールドワークで、過去から、現在、そして将来に生きる人たちのことを描きたいと思うのですが、なかなか…。

マリンディからモンバサに向かって車で走ったのですが、その時「最後のサファリが始まった」と自分なりに感傷に耽りました。今までは、旅をして何か見落としても、「また来ればいいや。さようならではなく、ではまた」と思っていたのですが。


このように根本さんは近年、電子メールで頻繁に近況報告を送ってくれるようになっていた。毎年夏の二〜三週間の調査が精一杯で滞在日数に乏しい、一四歳年下の私に対しては、「内側の視点」に基づく「叱咤激励」が多かったように思う。しかしながら、二〇一七年二月に急逝された根本さんが最後に送ってくれた電子メールは、「ルカニ中学の躍進」というタイトルの、これまでにないほど興奮され、喜びに満ちたものだった。

先ほどアレックスから流れた情報より、もっとよい成績です。キリマンジャロ州で二七九校中八三位。全国で三二八〇校中八五五位です（四〇人以上受験の施設の中）。私立とか普通の公立に混じって、コミュニティ立のなかではかなりの健闘！　ではまた。

根本さんの遺稿は、「ダルエスサラーム便り――最近の教育の動向」としてJATAツアーズ・ホームページに掲載されているが、その興奮と喜びが同様に伝わってくる。

最後におまけだが、ちょっと嬉しいニュースを付け加えたい。一月三一日に発表になった中学修了試験の結果で、われらがルカニ中学校がかなり健闘したのである。二〇〇七年一月の創立以来一〇年目、卒業生としては七期生だと思うのだが、初めてディヴィジョンⅠという最高ランクの成績を取った学生が二人出たのだ。ディヴィジョンⅡは一人、ディヴィジョンⅢは一二人で、ここまでの合計一五人が、高校などの上級学校進学資格者ということになる。ルカニ中学からの受験生は五一人だったから二九・四パーセントとなり、全国平均を少し上回っている。さらに中学修了資格の取れるディヴィジョンⅣは二八人で、合格率は八四・三パーセントとなりこれも全国平均を上回っている。

私立とか伝統ある公立学校に混じって、歴史が浅く施設や教員数の揃わないコミュニティ立のなかではかなり健闘しているんじゃないかと思われる。ルカニ中学校の創立以来の流れは「ルカニ村・フェアトレード・プロジェクト」のホームページや「ダルエスサラーム便り」第一七七回「村の図書室」などを参照してほしいが、日本の人たちとのつながりのなかで成長してきた学校であるから、素直に嬉しい。今後も少しずつ進歩していってほしいなと思う。

根本さんがＪＡＴＡツアーズ社、そして前身のグビ＆ブラザーズ社を設立した主目的は、オルタナティブツアー（ＡＴ）の受け入れである。

高級ホテルに宿泊し自然環境や野生生物を楽しむだけで、民衆と触れ合うことなしに帰国してしまうサファリツアーに対するオルタナティブ。ツアー客が楽しんだり学んだりするだけで、受け入れる農村住民側のメリットがない、片方向性の農業・農村ツアーに対するオルタナティブ。

さらには、蔑視や差別につながりかねない「援助対象としての悲惨なアフリカ」という理解・意識に対するオルタナティブや、効率・収益性や消費水準を豊かさの指標として激務に明け暮れるライフスタイルに対するオルタナティブという、ツアー客の意識改革を促す企図もある。

「時間がゆったり流れるタンザニアの農村に滞在し、その時間の流れに身を任せ、日本での自分の日常を振り返ったら、豊かさの指標が少し変わりませんか？」という旅を創りたい、日本の人たちに経験してもらいたいと思ったのだ。

日本人だけがいい思いをして帰って行くのは一方通行だから、受け入れたタンザニアの人たちも日本へ行って、「金持ちではない普通の」日本人の家庭に受け入れて欲しいというのも、このATの開始当初からの条件だった。AT参加者の参加費の一部を、旅行社が積み立て、ある程度たまったら、タンザニア人を呼び、日本の自分たちの家庭でもてなすという相互交流だ。アレックスさんグビさんは過去二〇年で二回ほど日本へ呼んでもらい、自分たちの日本人観を持って帰ってきている。

（根本利通「オルタナティブツアー・タンザニアの原点」『タンザニアに生きる』）

ATを始めた際に各参加者は一〇ドル分拠出して児童用図書を購入し、村の小学校に寄贈するということを決め、細々と続けてきた。たかだか一〇ドルではあるが、八月のツアーだけではなく年末年始や三月にATが催行されることもあり、あるいはATとは限らず大学などのスタディーツアーや在留邦人の一ルカニ村とキンゴルウィラ村（まれにブギリ村）の農村滞在参加者には各人一〇ドル出してもらって、一年間たまったお金で八月のATの時にまとめて寄贈することにしているから、そこそこの分量の図書が寄贈できる。

（根本利通「ダルエスサラーム通信――村の図書室」）

このように根本さんは、ツアー参加者である日本の民衆に対し、タンザニアの農村住民との交流を通して、差別や不公正さについての意識改革や新たなライフスタイルの構築を促す、社会運動の一環としてのオルタナティブな旅行業を展開したのである。

そして右記の児童用図書の寄贈は、ルカニ村において、コーヒーのフェアトレードによる図書館・中学校建設に対する支援と絡み合い、さらに日本の政府開発援助「草の根無償資金協力（小・中学校増設）」にもつながって、ルカニ村の子供たちの教育水準を引き上げた。フェアトレードも草の根無償資金協力も、オルタナティブツアーが構築した民衆交流が基礎になって実現したものである。

それゆえ、「日本の人たちとのつながりのなかで成長してきた学校であるから、素直に嬉しい」は、旅行業におけるソーシャルビジネスやＣＳＲ（企業の社会的責任）事業のあり方を確立できた喜びでもあるように思う。

根本さんは、この「ソーシャル旅行業者」としてのみならず、アフリカ近現代史、特にインド洋西海域史の研究者として、タンザニアで三二年間を過ごした。

歴史のない「暗黒大陸」であり、植民地支配によって文明化を促すという西洋にとって都合のよい（「外側の視点」に基づく）アフリカ史観は、現場におけるアフリカ史の調査研究が進み、大きく書き換えられている。この「外側の視点」が人種差別の基礎にあり、それゆえ、根本さんの言う「世界史を自分なりにまとめ」、「私なりのフィールドワーク」とは、アフリカ人とともに現場に住み続けて「内側の視点」を身に付け、アフリカ人が伝えたいアフリカ史観に書き換えることであろう。旅行業同様、社会の意識改革を促す社会運動の一環としての「ソーシャル研究者」と言える。

つまり、植民地支配以前のアフリカ社会の繁栄や植民地支配への抵抗の解明、さらには、「新植民地主義」と称されることもある経済のグローバル化に対抗し、アフリカ型の経済発展の基礎となり得る在来性の明示、などが主な研究課題になる。
インド洋西海域においては、一三～一五世紀に金や象牙の交易で、スワヒリ都市国家キルワが栄えた。この在来のスワヒリ・アラブ勢力と、インド洋航路に進出したポルトガルとのせめぎ合いは、途中からオマーン・アラブ勢力も加わって、しばらく続くことになる。一八～一九世紀にはオマーン・アラブ勢力による支配が確立し、その中心地の一つとしてザンジバルが栄えた。内陸からの奴隷労働に依存するチョウジやココヤシなどの生産と、それらのアラビア半島などへの輸出が繁栄を支えた。

インド洋は単に交易の媒体であっただけでなく、その周縁に住む人々にとっては、文化的・社会的・民族的に、共通性・関連性をもった一つの「世界」であったのではないだろうか。(中略) そうしたスワヒリ出身の人々の共同体は、スワヒリ語を含めてオマーンのなかで生き延びていくだろう。ヨーロッパという中心に逆規定された、狭いナショナリズムをこえて、インド洋を隔てるものとしてでなく、結びつけるものとしてある世界を見てみたいと思うのである。

(根本利通「インド洋を結んで」本書第一章)

ザンジバル国際映画祭の公式カタログにこういう文章がある。
海、大洋はあまりにもやっかいで誰も所有できず、自由の空間としての地位を保っている。数百年にわたるインド洋の文化・社会・経済的交流の、独特で今なお続く結果として、様々な事例の中、全てを含みこむようなスワヒリ文化と言葉がある。これは新しい実体であり、文字通りあるいは比喩としての、海の市民たちの誕生である。

（根本利通「海の市民たち」『タンザニアに生きる』）

根本さんは、国家や大企業が推し進めるグローバル化に対抗する、スワヒリ社会の民衆による内発的な発展（モノ・ヒトの自律的交易・交流）のあり方を検討する基礎概念として、「海の市民たち」を位置付けていた。同概念について詳細な説明はないが、ダウ船を主体としたインド洋交易の経済圏域と、オマーンが海上帝国として結び付けたアラビアと東アフリカの交流圏域の内部を、国境や民族などにとらわれず活発に行き来し交易する人々。および人々が形成したコスモポリタン的な共同体、などを概念化したものと理解している。

このような「海の市民たち」の歴史について、根本さんはオマーン（二章）、スワヒリ海岸（三章）、ザンジバル・マフィア（四章）の遺跡を訪問し、当地の現況やそこに住む人たちの生き様にも触れながら、具体的な解説・解釈に努めている。私たち読者を歴史の現場へ、そして「内側の視点」に誘う「スワヒリ歴史紀行」でもある。

根本さんが前著刊行時に企図していた、二〇一八年の帰国（日本の社会運動への復帰）や「東アフリカ海岸から見た世界史」研究の完成（「最後の著作」の自らの刊行）は、残念ながら果たされなかった。しかし研究成果の刊行に代わるものとして、私たち「運動の仲間」は本書を根本さんに捧げたい。また「海の市民たち」の一員となりソーシャルな研究・旅行業を展開した意味や意義を、本書から読み取って、それらを根本さんの遺志として引き継げるよう努めたい。

根本さんの帰国については、「海の市民たち」の仲間が許さなかったのだと思う。根本さんはまだタンザニアにいて、「内側の視点」をより深化させ、「運動の仲間たち」の滞在不足を補ってくれる。毎年夏にルカニ村で調査研究する私を、これまで同様、ダルエスサラームで待ち構えており、「ルカニ村民の魅力・実力・努力を伝えられる研究になっているか？　日本のための外発的な農村開発、フェアトレードになっていないか？　しっかり考えてください。ではまた」と、口酸っぱく諭してくれる。そのような「叱咤激励」が、確かに聞こえてくるのである。

あとがきは本来、筆者自身が執筆するものであり、根本さんが執筆されたものをできる限り活用して（本文同様に明らかな誤り以外、できる限りそのまま掲載）、簡単な解説を含むあとがき、そして根本さんへの追悼文とさせていただく。

辻村英之（京都大学大学院農学研究科）

お礼

夫、根本利通がライフワークとしていた『東アフリカ海洋史（東アフリカから見たインド洋西海域史）』の執筆は、生前、その関連の場所に赴いたり、「時間がない」といいながら関連書籍を読んだりして胸に秘めたる大きな思いがあったのでしょうけれども、書き出せないままとなってしまいました。

しかし彼は、タンザニアを中心とする歴史・政治・社会・文化・経済・自然などについて、そのときどきの出来事を記事として書きためていました。なかでも歴史については、かつて港湾都市として栄えた町をひとつひとつ訪ね歩き、古き時代に思いを馳せながら旅行記としてまとめています。この本は、夫をよく知る方々がその旅行記を編纂してくださったものです。本の出版にあたり、二〇一七年六月に東京で開いた「偲ぶ会」にいらしてくださった方々をはじめ、編集委員会や出版社のみなさまなど、多くの方々にご支援いただきましたこと、感謝の念に堪えません。

「タンザニアと日本の普通の人たちをつなぐ」というのが夫の興したJATAツアーズのモットーでした。この本がその一助となりますように。また「海は隔てるものではなく、繋ぐもの」と常々夫が感じていたであろう広がりが、この本から伝わりますように。

ほんとうにありがとうございました。

金山（根本）麻美

◈ 著者紹介

根本利通（ねもと としみち）

1953年　東京都生まれ。
1978年　京都大学文学部史学科卒業。
1984年　ダルエスサラーム大学大学院文学社会学研究科修士課程入学（中退）。
1999年～2017年　ダルエスサラームで旅行会社「JATAツアーズ」を経営。
2017年　ダルエスサラームで逝去。
主な共編著書に『タンザニアを知るための60章』（明石書店、2006年）、『タンザニアに生きる』（昭和堂、2011年）。

スワヒリ世界をつくった「海の市民たち」

2020年10月30日　初版第1刷発行

著　者　根本利通

発行者　杉田啓三

〒607-8494　京都市山科区日ノ岡堤谷町3-1
発行所　株式会社　昭和堂
振替口座　01060-5-9347
TEL（075）502-7500／FAX（075）502-7501

印刷　亜細亜印刷
装丁　studio TRAMICHE

ISBN978-4-8122-2002-3